GETHIN NYTH BRÂN

Gethin
Nyth Brân

Gareth Evans

Gwasg Carreg Gwalch

Argraffiad cyntaf: 2017
Ail argraffiad: 2018

Rhif Llyfr Safonol Rhyngwladol:
978-1-84527-624-9

Cyhoeddwyd gyda chymorth Cyngor Llyfrau Cymru

Cyhoeddwyd gan Wasg Carreg Gwalch,
12 Iard yr Orsaf, Llanrwst, Dyffryn Conwy, Cymru LL26 0EH.
Ffôn: 01492 642031
Ffacs: 01492 642502
e-bost: llyfrau@carreg-gwalch.cymru
lle ar y we: www.carreg-gwalch.cymru

Argraffwyd a chyhoeddwyd yng Nghymru

I'r plant, Ioan a Manon,

sydd ddim yn blant mwyach.

RHAN 1

1

Doedd dim dianc. Brwydrodd Gethin i fyny'r llethr trwy'r
goedwig drwchus ddu, ond roedd yr anghenfil oedd am ei
waed yn nesáu gyda phob cam. Roedd hi mor dywyll doedd
dim posib gweld llawer, ond rhwng y brigau fe welai Gethin
ambell fflach dan olau oer y lloer: llygaid gwyrdd yn rhythu,
dannedd miniog melyn yn sgyrnygu, a chynffon hir yn llithro
fel neidr trwy'r dail. Ceisiodd Gethin redeg yn gynt ond roedd
y llawr fel triog sticlyd, ac yn lle cyflymu roedd yn arafu. Y tu
ôl iddo, clywodd sŵn rhuo byddarol. Roedd y creadur ar ei
war. Y peth nesaf, roedd Gethin ar ei led ar y llawr a'r bwystfil
yn glafoerio drosto. Caeodd ei lygaid yn dynn wrth i boer sur
y creadur wlychu ei wyneb. Yna daeth y boen – tu hwnt i ddim
byd roedd Gethin erioed wedi'i ddioddef – wrth i grafangau'r
bwystfil drywanu ei frest, darnio cawell ei asennau a'i rwygo
ar agor.

~

Deffrôdd Gethin yn chwys domen. Nid mewn coedwig dywyll
roedd e wedi'r cwbwl, ond yn ei wely. Daeth rhyddhad o
sylweddoli mai hunllef oedd y cyfan. Ond rhyddhad dros

dro'n unig oedd hwnnw am ddau reswm. Yn gyntaf, am fod y boen yn ei frest yn fyw iawn. Ac yn ail, am fod bywyd bob dydd yn dipyn o hunllef iddo hefyd erbyn hyn.

Gwrandawodd ar ei frest yn canu grwndi, yn union fel byddai brest ei dad-cu yn ei wneud pan fyddai'r tywydd yn troi. Trodd yn ei wely er mwyn ceisio gwneud ei hun yn fwy cyfforddus a syllodd ar ei gloc larwm digidol yn disgleirio trwy lwydni'r bore bach. Pum munud i saith. Pum munud tan i'r larwm ganu. Doedd dim pwynt ceisio mynd 'nôl i gysgu.

Cododd Gethin gan grynu, er nad oedd hi'n oer iawn. Diffoddodd y larwm a rhoi'r golau ymlaen. Roedd ei frest yn dal yn brifo. Ceisiodd reoli ei anadlu. Byddai ei fam yn dod i mewn i'w stafell ym mhen munud i wneud yn siŵr ei fod wedi codi, a doedd ddim eisiau iddi sylwi bod rhywbeth o'i le.

Mewn eiliad o banic – byddai'n cael pyliau o'r fath weithiau – edrychodd o'i gwmpas i wneud yn siŵr fod popeth yn dal yn ei briod le: yr atlas glob oedd yn goleuo, ei lyfrau, y gist wydr hirsgwar oedd yn gartref i'w anifail anwes, a'r poster o Mo Farah ar y wal, ei lygaid e'n pefrio bron mor llachar â'r cloc larwm. Roedd trefn yn bwysig, yn arbennig yn ei stafell wely – yr unig le y teimlai Gethin yn gwbwl ddiogel.

Wrth iddo wisgo, clywodd lais ei fam yn treiddio drwy'r tŷ. Ond nid galw ar Gethin roedd hi. Buan y sylweddolodd fod llais arall yn cystadlu gyda'i un hi. Llais dyn. Roedd ei fam a'i dad-cu yng ngyddfau ei gilydd, fel arfer. Caeodd Gethin ei lygaid yn dynn a gwasgu ei ddwylo yn erbyn ei glustiau.

Yn sydyn, aeth popeth yn dawel. Ac yna clywodd ddrws yn cael ei gau'n glep. Eisteddodd Gethin ar erchwyn y gwely, yn disgwyl i'w fam ei alw. Arhosodd. Ac arhosodd. Ac arhosodd eto. Dim smic. Dechreuodd deimlo'n anesmwyth. O'r diwedd, magodd ddigon o blwc i fynd i lawr y grisiau.

Ar ôl cripian heibio'r stafell ganol lle roedd ei dad-cu bellach yn cysgu am ei fod yn methu cerdded i fyny'r grisiau rhagor, cerddodd Gethin i mewn i'r gegin a gweld ei fam yno'n sefyll yn stond, yn syllu allan drwy'r ffenest. Sylwodd hi ddim arno. Roedd hi'n bell, bell i ffwrdd. Roedd rhyw dawelwch llethol yn llenwi'r stafell, fel niwl rhewllyd, annymunol. Safodd Gethin yn ei unfan, a disgwyl i'w fam ddod ati hi'i hun.

Helen oedd ei henw. Pan fyddai hi'n gwenu, roedd ei hwyneb yn goleuo ac edrychai'n ifanc iawn. Ond doedd hi ddim yn gwenu'n aml. Roedd hi'n gweithio mewn canolfan alwadau yn ateb cwestiynau twp trwy'r dydd. Ac ar ben hyn, roedd yn gofalu ar ôl ei thad – neu Gransha, fel byddai tad-cu Gethin yn mynnu cael ei alw. Roedd Gethin a'i fam newydd symud i fyw i gartref Gransha ar gyrion Pontypridd wedi i'w gyflwr waethygu ryw dri mis ynghynt.

Heb rybudd, trodd ei fam oddi wrth y ffenest a wynebu Gethin.

"Beth yw'r rhain?" gofynnodd, gan estyn cledr ei llaw tuag ato. Edrychodd Gethin yn syn. Stwmps sigaréts.

"Ro'n nhw yn dy fag," esboniodd ei fam. Doedd dim angen mwy nag eiliad ar Gethin i wybod pwy oedd ar fai. Cai Thomas.

"Dim fi roddodd nhw 'na," mynnodd Gethin yn frysiog, gan ddweud y gwir.

"Wy'n gobeitho 'fyd. Ond pwy wnaeth?"

Doedd fiw iddo ddweud wrthi beth roedd yn ei amau. Fiw iddo ddweud wrthi am Cai, oedd yn ei boenydio fyth a beunydd.

Nac am bawb arall yn ei ysgol newydd oedd naill ai'n ei wawdio neu'n ei anwybyddu. Nid fod pethau wedi bod yn llawer haws iddo yn ei hen ysgol, petai Gethin yn gwbwl onest.

"Jest y bois yn ca'l laff."

"So fi'n meddwl fod e'n ddoniol iawn, ta p'un."

Gwingodd Gethin wrth i'w fam astudio ei wyneb yn fanwl am ryw arwydd ei fod yn dweud celwydd. Teimlodd ei anadl yn cyflymu. Ofnai y byddai ei frest yn dechrau gwichian eto.

"Mae popeth yn iawn yn yr ysgol, yw e?"

"Ydi, wrth gwrs 'i fod e," atebodd Gethin, ychydig yn rhy frysiog.

"Achos os wyt ti'n cael dy fwlio, rhaid i ti weud."

"Fi'n gwbod, Mam. Ond mae popeth yn iawn, onest."

Edrychodd ei fam arno eto yn fanwl. Oedd hi'n ei gredu?

"Ocê. Ond alli di plis ddweud wrth dy ffrindie i beidio neud rhwbeth mor ddwl 'to?" gorchmynnodd.

Nodiodd Gethin yn frwd, yn cytuno. Doedd e ddim am iddi holi rhagor. Rhaid ei fod wedi'i hargyhoeddi oherwydd aeth ei fam i fyny'r grisiau i orffen gwisgo, gan bwysleisio ei bod bellach yn hwyr i'r gwaith, diolch i Gethin.

Doedd dim chwant brecwast arno o gwbwl erbyn hyn, felly stwffiodd lond llaw o gornfflêcs i'w geg a'u crensian yn frysiog heb ffwdanu eu rhoi mewn bowlen, heb sôn am ychwanegu llaeth. Meddyliodd am y diwrnod oedd o'i flaen yn yr ysgol, a suddodd ei galon.

Sylwodd ei fod wedi gollwng ambell gornfflêc ar y bwrdd. Casglodd nhw'n ofalus cyn eu rhoi yn ei geg. Wrth iddo'u crensian, sylweddolodd Gethin pa mor unig oedd e mewn gwirionedd.

2

Roedd bws yr ysgol yn hwyr, a'r disgyblion eraill oedd yno'n disgwyl yn swatio dan do plastig yr arhosfan. Ond roedd yn well gan Gethin sefyll ar wahân, er gwaetha'r ffaith fod y glaw mân yn un cwmwl mawr o'i gwmpas, a'r diferion yn ei bigo fel pryfed bach. Doedd dim ots ganddo ei fod yn gwlychu. Gan fod y bws yn hwyr, byddai llai o amser wedyn i sefyllian o gwmpas yr iard cyn cofrestru. Roedd yn gas gan Gethin yr holl sŵn ar yr iard cyn y gloch gyntaf: y bloeddio, y chwerthin a'r sgrechian.

Gwelodd y bws yn nesáu yn llechwraidd trwy'r glaw. Stopiodd y bws ychydig y tu hwnt i'r arhosfan a'r brêcs yn sisian, gan dasgu dŵr i bobman. Brysiodd y disgyblion ar y bws oherwydd y glaw, a rhai o'r merched yn gwichian ac yn piffian chwerthin bob yn ail. Gethin oedd yr olaf. Dewisodd sedd wag ac eistedd i lawr yn gyflym. Pwysodd ei dalcen yn erbyn y ffenest oer, laith. Prin y medrai weld y tu allan. Roedd fel pe bai'r byd wedi diflannu.

Clywodd sisial blin y bws eto wrth i'r cerbyd baratoi i ymuno â'r traffig. Yna'r crensian wrth i'r bws newid gêr. A'r rhuo wrth i'r bws gyflymu. Roedd fel rhuo'r bwystfil yn yr hunllef. Crynodd Gethin drwyddo wrth gofio. Nid dyma hunllef gyntaf Gethin, ond dyma'r tro cyntaf iddo ddod wyneb yn wyneb â chreadur mor ddychrynllyd â hwnnw.

"Aw!!!"

Neidiodd Gethin yn ei sedd wrth iddo glywed bloedd rhywun mewn poen. Trodd i weld beth oedd yn bod. Gwelodd

Cai Thomas yn rhwbio pen bachgen gwallt coch gyda'i ddwrn, yn ôl ac ymlaen, fel petai'n ceisio ei sgwrio'n lân. Roedd Gethin wedi sylwi ar y bachgen o'r blaen, a'i ddau ffrind oedd yn eistedd y tu ôl iddo. Roedd y tri wastad gyda'i gilydd, yn crwydro cyrion yr iard, yn ceisio cadw'n ddigon pell o bawb a phopeth. Roedd Gethin wedi bathu enw iddyn nhw: Y Tri Trist.

"Oi! Be ti'n edrych arno?" poerodd Cai i'w gyfeiriad. Cai oedd yr unig fachgen yn ei flwyddyn oedd yn llai na Gethin, ond roedd ei geg yn fwy na cheg pawb, ceg oedd yn mynnu pigo ar Gethin bob dydd. Fel pe na bai hynny'n ddigon drwg, Cai oedd gwas bach y bachgen caletaf yn y flwyddyn, Nathan Jenkins. Fiw i neb ei groesi, felly. Nid fod Gethin yn ddigon dewr i wneud, beth bynnag.

Roedd y rhyddhad ar wyneb y bachgen gwallt coch yn amlwg wrth i Cai ollwng ei afael a throi ei sylw at Gethin.

"Gest ti row 'da Mami 'byti'r sigaréts? Bachgen drwwwg."

"Naddo," protestiodd Gethin.

"'Na drueni," dwedodd Cai, gan gau ei ddwrn yn barod i'w boenydio. Roedd Nathan erbyn hyn hefyd yn syllu i'w gyfeiriad, ei lygaid yn llonydd fel petai'r holl beth yn ei ddiflasu. Ond gwyddai Gethin yn iawn fod Nathan yn cadw llygad barcud ar yr hyn oedd yn digwydd.

Yr eiliad nesaf cafodd Gethin sgytwad wrth i'r bws arafu'n rhy sydyn. Gwelodd Cai'n gwegian ac yn gafael yn dynn yn un o'r seddi rhag syrthio ar ei ben-ôl. Gwgodd Cai wrth i rai o'r disgyblion hŷn chwerthin am ei ben.

Ar ôl dod ato'i hun, brasgamodd Cai i lawr y bws tuag at Gethin. Ond safodd un o'r merched oedd newydd ddod ar y bws yn ei ffordd, yn ei rwystro. Edrychodd Gethin arni'n syn, ond nid hanner mor syn â Cai.

"Sêt fi yw hwnna," protestiodd Cai.

"Sêt fi yw e nawr," atebodd y ferch yn ewn gan eistedd i lawr yn gyflym. Eisteddodd y merched eraill yn y seddi gwag o'u cwmpas. Trodd y ferch at Cai, oedd yn dal i rythu arnyn nhw.

"Ti'n fyddar, neu beth?" gofynnodd y ferch iddo.

Trodd Cai ar ei sawdl, gan regi dan ei anadl.

"Ti'n ocê?" gofynnodd y ferch i Gethin.

"Ydw," atebodd Gethin yn swil.

Gwenodd y ferch arno, cyn troi at ei ffrindiau. Wrth iddyn nhw sgwrsio a chwerthin, rhoi rhagor o golur ar eu hwynebau a chymharu negeseuon ar eu ffonau symudol drud, trodd Gethin i edrych allan o'r ffenest. Teimlodd ei hun yn gwrido – peth arall amdano'i hun oedd yn mynd ar ei nerfau – a doedd e ddim eisiau i'r merched sylwi, yn enwedig y ferch oedd yn eistedd ar ei bwys.

Caitlin Derbyshire oedd ei henw, a'i gwallt yn ddu fel y frân a llygaid bron mor dywyll, llygaid a ddisgleiriai pan fyddai'n chwerthin. Ac roedd hi'n chwerthin yn aml. Hi, heb os, oedd seren y dosbarth ac roedd y merched eraill i gyd yn torri eu boliau i fod yn ffrind iddi.

Roedd Gethin wedi sylwi arni y diwrnod cyntaf un yn ei ysgol newydd, ond erioed wedi magu'r plwc i dorri gair â hi.

"O, ma' hwnna mor ciwt!" dwedodd Caitlin, gan anelu ei ffôn symudol at y ffenest. Heb iddo sylwi, roedd Gethin wedi gwneud llun o wyneb yn gwenu gyda'i fys ar y ffenest stemllyd. Tynnodd Caitlin lun o'r wyneb gyda'i ffôn.

Gwnaeth rhai o'r merched eraill yr un fath.

"Fi'n mynd i roi fe ar Facebook," dwedodd Caitlin. "Galli di *like-o* fe."

"Wy ddim ar Facebook," atebodd Gethin.

Tro Caitlin oedd hi i edrych yn syn.

"Sdim cyfrifiadur gyda ni adre," ychwanegodd.

"Beth am dy ffôn?" gofynnodd Caitlin.

Ysgydwodd Gethin ei ben. "Un rhad yw e," esboniodd. "Wy'n ffaelu cael WiFi arno fe."

Edrychodd Caitlin arno yn anghrediniol. 'Allen i ddim byw heb WiFi," dwedodd. Cytunodd y merched eraill â hi'n frwd. Teimlodd Gethin ei hun yn gwrido eto. Clywodd lais cyfarwydd yn ei wawdio o'r cefn.

"*Loser!*" gwaeddodd Cai.

"Dim ond un *loser* sydd ar y bws yma, a ti yw hwnnw, Cai Thomas," gwaeddodd Caitlin ato, a'i llygaid tywyll yn fflachio.

Gallai Gethin daeru ei fod wedi gweld Cai o bawb yn gwrido. Ac yn fwy annisgwyl fyth, gwên fach chwareus ar wyneb Nathan.

"Paid becso. Wna i hala'r llun atat ti. Beth yw dy rif di?"

Dwedodd Gethin ei rif wrthi ac o fewn chwinciad roedd y llun ar ei ffôn. Edrychodd ar yr wyneb bach crwn yn gwenu arno. Ac am unwaith, roedd gwên lydan ar wyneb Gethin hefyd.

3

"Unrhyw syniad beth yw ystyr 'Pontypridd'?"

Mr Davies Cymraeg oedd yn gofyn, ond doedd neb am ateb. Roedd Gethin yn hoff iawn o'r athro. Roedd wastad mewn hwyliau da, ac roedd wastad golwg iach arno am ei fod yn hoffi cerdded mynyddoedd Cymru yn ei amser hamdden, gan nodi unrhyw enwau diddorol y byddai'n dod ar eu traws.

"Beth os byddwn i'n dweud wrthoch chi taw 'Pont-y-tŷ-pridd' oedd yr hen enw?" awgrymodd Mr Davies.

Distawrwydd eto. Roedd Gethin yn meddwl ei fod yn gwybod yr ateb ond doedd ddim am fentro tan iddo weld Caitlin yn gwenu arno, yn ei annog. Yna, er syndod iddo'i hun, hyd yn oed, cododd ei law.

"Ie, Gethin?" Roedd yr athro yn amlwg yn falch o weld Gethin yn rhoi cynnig arni.

"Achos bod nhw'n arfer adeiladu tai allan o bridd?"

Clywodd Gethin biffian chwerthin yn lledu drwy'r dosbarth. Teimlodd ei hun yn gwrido. Roedd wedi gwneud ffŵl ohono'i hunan.

"Cywir. Da iawn ti," meddai Mr Davies, cyn troi at y rhai oedd yn chwerthin. "Felly allwch chi roi'r gorau i'r sŵn gwirion yna."

Tawodd y piffian. Aeth Mr Davies yn ei flaen.

"Yn yr hen amser, roedd llawer iawn o bobl yn rhy dlawd i adeiladu tai cerrig, felly ro'n nhw'n adeiladu tai mas o bridd neu glai."

"Beth? Byw mewn *mud huts*?" gofynnodd merch o'r enw

Lowri, oedd o hyd yn dweud pethau twp ar bwrpas. Chwarddodd pawb eto.

"Ddim yn gwmws, Lowri. Byddwn ni'n cael trip dosbarth i Sain Ffagan cyn y Nadolig. Gei di weld tŷ pridd yno. Ta p'un, ystyr Pontypridd felly yw 'Y bont ar bwys y tŷ pridd'. Ond wrth gwrs mae'r tŷ pridd wedi hen ddiflannu."

"Maen nhw'n dal yn byw mewn *mud huts* yn Cilfynydd," dwedodd Lowri, gan daro golwg slei i gyfeiriad Gethin. Chwarddodd pawb eto. Heblaw Caitlin. Byddai Gethin wedi hoffi suddo i'w sedd a diflannu o'r golwg. Cilfynydd. Dyma'r ardal o Bontypridd lle roedd Gethin yn byw.

"Y*ng Ngh*ilfynydd, os oes rhaid dweud yr enw o gwbwl," meddai Mr Davies. "A'r tro dwetha dryches i, tai brics o'dd 'na. A ble wyt ti'n byw, Lowri? Trallwn, ie?"

"Part gore Ponty, syr," atebodd Lowri gan wenu.

"Unrhyw syniad beth yw ystyr y gair?"

"Rhywbeth cŵl, siŵr o fod."

"Dwi ddim yn siŵr am 'cŵl'. Ystyr Trallwn yw lle gwlyb, mwdlyd."

Tro Lowri oedd hi i edrych yn anghyfforddus. Ddwedodd hi ddim smic wedyn, a chafodd Mr Davies lonydd i barhau â'r wers.

Y pwnc oedd enwau lleoedd, a sut roedd rhai yn medru dod â'r gorffennol yn fyw ond i chi ddeall eu hystyr. Arhosodd dwy enghraifft yng nghof Gethin. Yr enw cyntaf oedd 'Twyn yr Odyn'. Ffwrn i losgi carreg galch oedd 'odyn' a byddai'r calch gwyn yn cael ei wasgaru ar y tir fel gwrtaith i wneud i bethau dyfu'n well a hefyd yn cael ei ddefnyddio ar waliau tai. Yr ail oedd 'Tonypandy'. Enw lleol ar math o gae oedd 'ton', a lle i lanhau a thewhau gwlân cyn ei drin oedd 'pandy'.

Yna dechreuodd Mr Davies sôn am sut oedd enwau'n aml yn disgrifio'r ddaearyddiaeth leol. Roedd nifer o rai cofiadwy yn yr ardal, fel Nantgarw a Rhydfelen. Ond hoff enghraifft Gethin o'r cwbwl oedd enw fferm, Nyth Brân.

Dyma gartref y rhedwr enwog Gruffudd Morgan – neu Guto, fel y byddai pawb yn ei alw – a oedd yn byw rhyw dri chan mlynedd yn ôl. Roedd sôn am gyflymdra Guto pan oedd yn blentyn, a phobl yn honni pob math o bethau amdano – ei fod yn medru dal anifeiliaid gwyllt gyda'i ddwylo, neu redeg ar neges i dref gyfagos a dod 'nôl cyn i'r tegell ferwi. Beth bynnag am y chwedlau hynny, roedd yn amlwg fod Guto yn rhedwr cyflym iawn ac enillodd ras ar ôl ras pan oedd yn hŷn.

Roedd Gethin yn glustiau i gyd. Fel y tystiai'r poster o Mo Farah ar wal ei stafell wely, roedd Gethin wrth ei fodd gyda phopeth yn ymwneud â rhedeg. Er nad oedd e'n fawr o redwr ei hun – doedd ei fam ddim yn meddwl bod hyn yn beth call iddo'i wneud am iddo fod yn sâl droeon pan oedd yn iau – roedd yn dipyn o arbenigwr ar amseroedd rasio a dulliau hyfforddi gwahanol athletwyr.

"Caitlin Derbyshire, gobeithio nage ffôn symudol sydd 'da ti yn dy law o dan y ddesg," meddai Mr Davies, gan godi ei lais.

Roedd Gethin wedi ymgolli gymaint yn hanes Guto Nyth Brân nes iddo neidio yn ei sedd. Roedd llais Mr Davies yn fwy llym nag arfer.

"Jest yn gŵglo am Gethin Nyth Brân, syr," esboniodd Caitlin, gan roi ei ffôn o'r neilltu yn syth.

"Mae'n beth da fy fod ti mor frwdfrydig, ond dwi ddim am weld y ffôn yna yn ystod y wers eto."

"Sorri, syr," ymddiheurodd Caitlin, ar ôl gweld bod Mr Davies o ddifrif.

Gofynnodd yr athro i bawb geisio darganfod mwy am y rhedwr Guto Nyth Brân fel gwaith cartref, tasg roedd Gethin yn gwybod y byddai'n mwynhau.

Ar ôl y wers, roedd Gethin ar dân eisiau gwybod beth yn union roedd Caitlin wedi'i ddarganfod am Guto Nyth Brân ar y we.

"Ti mor swît," meddai Caitlin, fel petai'n siarad â phlentyn bach, cyn dangos ei ffôn iddo. Arno roedd lluniau o wrachod, pwmpenni ac ysbrydion. Dim byd o gwbwl yn ymwneud â'r rhedwr, felly.

"O'n i'n casglu syniadau ar gyfer parti *Hallowe'en* fi," esboniodd Caitlin.

"Wnest ti weud celwydd wrth Mr Davies?" gofynnodd Gethin yn anghrediniol.

"Do. Mae pawb yn dweud celwydd weithiau. Wyt ti ddim?" gofynnodd Caitlin, yn ei herio â gwên lydan. Roedd Gethin wedi dweud celwydd wrth ei fam y bore hwnnw, wrth gwrs. Ond roedd hynna'n wahanol rywsut. Meddyliodd Gethin yn galed cyn ateb – mor galed fel na welodd Caitlin yn cerdded i ffwrdd i ymuno â'i ffrindiau.

"Ydw, weithiau. Pan mae'n rhaid," atebodd Gethin o'r diwedd. Ond doedd neb yno i'w glywed. Efallai fod Caitlin wedi colli diddordeb ynddo'n barod, meddyliodd. Fyddai e ddim yn ei beio.

4

Digwyddodd popeth mor sydyn. Trawodd Gethin y llawr cyn iddo sylweddoli'n iawn fod rhywun wedi'i faglu. Ond unwaith gwelodd Cai'n sefyll drosto yn crechwenu, roedd yn gwybod yn union beth oedd wedi digwydd.

"*Loser*," dwedodd Cai'n fygythiol o dawel cyn loncian draw at Nathan, oedd yn pwyso yn erbyn wal y bloc gwyddoniaeth, yn syllu ar draws yr iard, yn sylwi ar bawb a phopeth.

Doedd Gethin ddim yn siŵr beth oedd waethaf – y ffaith fod Cai wedi pigo arno, neu gydymdeimlad amlwg y Tri Trist oedd yn sefyllian gerllaw. Efallai'n wir ei fod yn *loser*, meddyliodd, cyn codi ei hun o'r llawr gan geisio ymddwyn mor ddi-hid â phosib.

Gwelodd Gethin y Tri Trist yn trafod ymysg ei gilydd, ac yn edrych draw i'w gyfeiriad bob hyn a hyn, cyn cerdded tuag ato braidd yn betrusgar. Ond cyn iddyn nhw ei gyrraedd, sylwodd ar rywun arall yn brasgamu tuag ato. Caitlin. Doedd dim byd petrusgar amdani hi. Cododd hithau ei llaw at y bechgyn a'u hel oddi yno, fel pe baent yn ddim mwy na rhyw golomennod trafferthus.

"Ti ddim yn ffrindie gyda nhw, gobeithio?" gofynnodd Caitlin.

"Na," sicrhaodd Gethin yn gyflym.

"Gwd. Maen nhw gyment o *nerds*."

"Wy'n gwbod," cytunodd Gethin, gan deimlo ychydig yn anghyfforddus wrth wneud, yn enwedig gan fod y bechgyn o fewn clyw ac yn syllu draw arnyn nhw. Estynnodd Caitlin rhywbeth ato: cerdyn â llun pwmpen fawr arno.

"Beth yw hwn?" gofynnodd Gethin, heb ddeall ystyr y cerdyn yn syth.

"Gwahoddiad i barti *Hallowe'en* fi, sili," esboniodd Caitlin.

"Fi?" holodd Gethin yn syn, gan deimlo ei hun yn gwrido. Eto. Roedd yn rhaid iddo geisio atal ei hun rhag gwrido mor aml. Roedd yn codi cywilydd arno'i hun.

"Ie. Ti. Oes rheswm pam ddylen i ddim gwahodd ti?" holodd Caitlin yn bryfoclyd.

"Na, wy ddim yn credu," atebodd Gethin.

Chwarddodd Caitlin. "Ti'n rili ddoniol, ti'n gwbod 'ny?"

"Ydw i?"

Doedd Gethin erioed wedi meddwl amdano fe ei hun fel rhywun doniol.

"Ti'n mynd i ddod, on'd wyt ti?" gofynnodd Caitlin, gan edrych draw i gyfeiriad Nathan, oedd wedi dechrau cymryd diddordeb amlwg yn eu sgwrs.

"Fydd rhaid i fi ofyn i Mam gynta, ond wy'n siŵr bydd dim problem," ychwanegodd Gethin yn frysiog.

"Paid anghofio dy wisg ffansi, neu chei di ddim dod i mewn i'r tŷ," siarsiodd Caitlin gan wenu'n gellweirus.

Trodd Caitlin ar ei sawdl a gadael Gethin yn syllu ar y gwahoddiad yn ei law. Petai wedi edrych i fyny byddai wedi gweld Caitlin yn cerdded heibio Nathan a Cai gyda'i phen yn uchel. A byddai wedi gweld Nathan yn ei gwylio bob cam.

Ond roedd Gethin yn dal i syllu ar y gwahoddiad. Doedd Caitlin ddim wedi colli diddordeb ynddo wedi'r cwbwl. I'r gwrthwyneb. Roedd wedi'i wahodd i'w pharti!

Canodd y gloch. Rhoddodd Gethin y gwahoddiad yn ei fag yn ofalus rhag iddo blygu, ac aeth i mewn i'r bloc gwyddoniaeth gan anwybyddu'r Tri Trist.

5

"Wrth gwrs cei di fynd!" meddai mam Gethin, yn amlwg wrth ei bodd drosto. Roedd hi wedi pwysleisio'n aml pa mor bwysig oedd i Gethin wneud ffrindiau newydd.

"Wnaf i wisg i ti, os ti moyn. Alla i neud un well na'r sothach plastig sy yn y siopau."

Doedd Gethin ddim yn rhy siŵr am hyn ac fe awgrymodd yn ofalus fod angen gwisg cŵl arno, nid rhywbeth ffwrdd-â-hi. Camgymeriad, wrth gwrs, achos fe'i hatgoffodd yn dra siarp ei bod hi'n hen gyfarwydd â thrin peiriant gwnïo.

Cyn i'w fam fynd i ormod o hwyl pregethu, aeth Gethin i'w stafell wely. Doedd e'n dal ddim yn medru credu bod Caitlin wedi'i wahodd i'r parti, a bellach roedd wedi dechrau ofni mai rhyw dric creulon oedd y cyfan. Oedd hi wedi gwneud hyn er mwyn gwneud ffŵl ohono?

Gwylltiodd Gethin wrtho'i hun am orfeddwl am bethau, fel arfer. Byddai'n poeni am rywbeth o hyd, a byddai'n creu rhyw straeon yn ei ben fyth a beunydd. Pan oedd yn iau, hoffai ddychmygu cwrdd â'i dad, er bod hwnnw wedi gadael ei fam tra oedd hi'n disgwyl Gethin. Nid oedd wedi cysylltu ers hynny. Roedd Gethin wedi creu darlun clir ohono yn ei feddwl: dyn tal, heini, gyda mop o wallt du oedd yn dechrau britho, a gwên garedig. Unwaith, ryw bnawn Sadwrn, llwyddodd i berswadio'i hun fod ei dad y tu allan i'r tŷ yn disgwyl amdano i fynd i chwarae pêl-droed yn y parc. A heblaw bod ei fam wedi'i ddal yn mynd allan o'r drws byddai wedi aros yno am oriau maith yn disgwyl amdano. Yn ofer, wrth gwrs.

Er mwyn rhoi taw ar yr holl amheuon aeth Gethin ati i lanhau cartref ei anifail anwes, sef geco bach o'r enw Emil. Nid geco cyffredin mohono ond geco llewpard – creadur bach lliw oren, siocled a gwyn. Go brin y byddai ei fam wedi cytuno iddo'i gael o gwbwl pe baen nhw ddim wedi gorfod symud i fyw at Gransha mor ddisymwth.

Gransha ei hun ddewisodd enw'r geco. Ar y dechrau, roedd y creadur bach yn dueddol o gael pyliau o redeg o gwmpas ei gartref gwydr newydd fel rhywbeth gwyllt, ac yn siglo'i ben o un ochr i'r llall. Dwedodd Gransha fod y geco yn ei atgoffa o un o'i arwyr mwyaf, sef rhedwr o Wlad Tsiec o'r enw Emil Zátopek, oedd yn enwog iawn pan oedd Gransha'n ddyn ifanc. Yn wir, dyma'r unig beth oedd yn gyffredin rhwng Gethin a'i dad-cu – eu hoffter o athletau.

Dododd Gethin bapur ffres ar waelod y gist wydr hirsgwar, yn boenus o gysáct a chydwybodol. Tywod oedd y peth arferol i'w roi ond roedd rhai gecoaid ifanc yn dueddol o fwyta tywod nes eu bod yn ddigon hen i wybod yn well. Doedd Gethin ddim eisiau mentro, felly papur biau hi am y tro.

Ar ôl i Gethin lanhau'r gist wydr, roedd hi'n amser i Emil gael bwyd. Fel arfer, ychydig o gynrhon y blawd roedd Emil yn eu cael ond roedd Gethin yn teimlo bod heddiw'n achlysur arbennig ac felly dododd cricsyn byw yn anrheg iddo, sef creadur digon tebyg i sioncyn y gwair.

Arswydodd Gethin am eiliad wrth i ddelwedd fflachio drwy ei feddwl – Gethin oedd y cricsyn a Nathan oedd y geco. Diffoddodd Gethin y golau dros y gist a throi ei gefn. Doedd ddim am weld yr hyn oedd ar fin digwydd.

Yn lle hynny, edrychodd ar y poster ar y wal. Roedd Mo Farah yn gwenu arno â'i wên ddisglair, hudolus. Teimlodd Gethin rywfaint yn well. Meddyliodd am wên Caitlin, a'r gwahoddiad. Penderfynodd roi anrheg iddi – nid rhyw anrheg ceiniog a dimau allai unrhyw ffŵl ei phrynu mewn siop, ond anrheg wedi'i gwneud yn arbennig ar ei chyfer. Cofiodd Gethin am y blwch bach roedd wedi'i wneud yn y wers dechnoleg yn ei hen ysgol. Pe byddai'n cerfio enw Caitlin ar gaead y blwch ac yn rhoi ychydig o sglein i'r pren, fe fyddai'n anrheg wych.

Pan aeth 'nôl i lawr i'r gegin roedd hwyliau da ar ei fam – cystal hwyliau fel ei bod wedi archebu pizza ar gyfer pawb. Roedd hyn yn dipyn o eithriad – a'r ffaith fod Gransha yn y gegin hefyd. A bod y ddau'n yfed can o gwrw yr un ac yn siarad yn glên â'i gilydd.

"*What's all this I here about a party?*" gofynnodd ei dad-cu. Doedd e ddim yn medru Cymraeg, dim ond ambell air. Gwridodd Gethin, er iddo addo i'w hun na fyddai byth yn gwneud eto. Daeth y cwestiwn mor annisgwyl chafodd ddim cyfle i'w atal ei hun rhag cochi.

"*Leave him be. You're making him blush, look,*" siarsiodd ei fam. Ddwedodd Gransha ddim byd mwy am y peth ond allai ddim peidio wincio arno pan nad oedd Helen yn edrych.

Daeth y pizza. Bwytaodd Gethin bob un darn. Roedd ar lwgu. Bwytodd ddarn olaf Gransha hefyd, a darn olaf ei fam.

"Falle fod ti'n tyfu," meddai ei fam, yn falch o'i weld yn bwyta cystal.

Gobeithio wir, meddyliodd Gethin. Roedd hi'n ddau fis a mwy bellach ers iddo droi'n dair ar ddeg a doedd e'n dal heb gyrraedd un metr pum deg centimetr o daldra.

Gan fod cystal hwyliau ar bawb, awgrymodd Gethin eu bod yn chwarae gêm fwrdd. Fel arfer, gwneud esgusodion fyddai ei fam, ond cytunodd ar unwaith. Bu tipyn o chwerthin hyd yn oed, a Gethin yn dotio ar ba mor ifanc a phrydferth yr edrychai hi pan oedd hi'n hapus.

Syndod hyfryd arall oedd bod Gransha'n gwybod tipyn o hanes Guto Nyth Brân.

"*Course I do. Local boy he was, see,*" esboniodd, cyn mynd i hwyliau wrth adrodd yr hanes am ras olaf un Guto. Cymaint oedd cyflymder Guto fel bȯd neb yn fodlon cystadlu yn ei erbyn, tan i rywun o'r enw Prince ei herio yn 1737 i gystadlu am wobr o fil gini, sef ychydig dros fil o bunnau, oedd yn swm anferthol bryd hynny. Enillodd Guto ond fe dalodd bris dychrynllyd. Bu farw'n syth ar ôl y ras.

Aeth ias drwy gorff Gethin, a chrynodd drwyddo. Roedd fel petai rhywun wedi agor drws y gegin a gadael chwa o wynt oer i mewn o'r ardd. Aeth y gêm fwrdd yn ei blaen, wedi i'r ddau oedolyn agor tun arall o gwrw a gwenu'n braf ar ei gilydd. Ond roedd hanes Guto wedi pylu brwdfrydedd Gethin. Y cyfan allai feddwl amdano oedd y rhedwr ifanc yn gorwedd yn gelain ar y llawr.

Gransha enillodd y gêm. Rhoddodd mam Gethin glamp o gusan i Gransha ar ei foch, a theimlodd Gethin lwmp yn ei wddf, heb wybod yn union pam.

6

Roedd Gethin yn falch ohono'i hun – a doedd hynny ddim yn digwydd yn aml. Wedi iddo ofyn, roedd wedi cael caniatâd i ddefnyddio'r stafell dechnoleg ar ôl ysgol i orffen anrheg Caitlin, gan fod y clwb technoleg yn cwrdd yno. Doedd Gethin ddim wedi sôn am yr anrheg yn benodol, dim ond ei fod eisiau gorffen rhyw 'brosiect'.

Roedd ganddo bum munud tan y gloch felly aeth allan i'r iard am ychydig o awyr iach. Sylwodd ar ba mor llachar oedd popeth yng ngolau haul yr hydref: y stribyn porffor ar un o'r adeiladau, dail crin amryliw y coed yn y pellter, y pecyn o gwm cnoi lliw arian roedd rhywun wedi ei ollwng ar y llawr, a cheir yr athrawon yn y maes parcio ar bwys y fynedfa yn sgleinio. Roedd fel petai'r byd i gyd wedi'i olchi'n lân.

"Gethin. Dyna dy enw di, ife?" gofynnodd llais y tu cefn iddo. Llais bachgen oedd o fewn nodyn neu ddau i droi mewn i lais dyn. Llais Nathan. Trodd Gethin i'w wynebu.

"Ie."

"Ti'n ffrindie gyda Caitlin," meddai Nathan wedyn.

Roedd rhywbeth ym mêr esgyrn Gethin yn dweud wrtho y dylai fod yn ofalus, ond cyn ei fod yn sylweddoli'n iawn beth oedd yn ei wneud, fe'i atebodd.

"Ydw. Wy'n mynd i barti *Hallowe'en* yn ei thŷ hi."

"Gwd. Fi'n falch."

Doedd Gethin ddim yn deall pam roedd hyn yn plesio Nathan gymaint.

"Fi am i ti neud ffafr â fi."

Ffafr? Roedd Nathan Jenkins yn gofyn iddo fe – yr anweledig Gethin Tanner – i wneud ffafr ar ei ran!

"Ac os gwnei di, fe wna i'n siŵr fod Cai'n stopo pigo arnat ti."

Allai Gethin ddim credu ei glustiau. Efallai fod tro ar fyd go iawn a bod lwc o'i blaid o'r diwedd.

"Wrth gwrs," atebodd Gethin yn eiddgar.

Roedd Nathan am i Gethin ddarganfod pa fath o gerddoriaeth roedd Caitlin yn ei hoffi. Ac yn fwy na hynny, beth oedd ei diddordebau hi, ei hoff raglenni teledu, ac yn y blaen.

"Fi moyn prynu anrheg ben-blwydd iddi hi," esboniodd Nathan.

Edrychodd Gethin arno'n syn.

"Pam?" gofynnodd, a'i lais ddim ond ychydig uwch na sibrydiad, er ei fod mewn gwirionedd yn gwybod yr ateb.

"Pam ti'n feddwl?" atebodd Nathan, gan wenu, cyn cerdded i ffwrdd.

Suddodd calon Gethin i'w sgidiau. Roedd Nathan yn ffansïo Caitlin. Doedd dim dwywaith amdani. Canodd y gloch, ond roedd Gethin wedi'i rewi i'w unfan. Ac am y tro cyntaf ers iddo ddechrau yn ei ysgol newydd, roedd yn hwyr yn cyrraedd ei wers nesaf.

~

Gwers Ffrangeg ddwbwl. Er bod Gethin yn eithaf da yn y pwnc, man a man petai Mademoiselle Guillemin wedi bod yn siarad Mandarin, achos chymerodd Gethin fawr o sylw. Roedd llais Nathan yn atseinio yn ei ben, a'r ffaith ei fod am ei ddefnyddio i glosio at Caitlin yn pwyso ar ei stumog fel carreg.

Yn syth ar ôl cloch amser cinio cerddodd Gethin tuag at gornel bellaf y cae rygbi oedd y tu ôl i'r ysgol. Roedd e'n mynd yno'n weddol aml er mwyn dianc rhag pawb a phopeth. Dododd ei got law ar y llawr ac eistedd arni. Edrychodd i fyny a sylwodd fod yr haul bellach yn cuddio tu ôl i'r cymylau.

Cymerodd focs bwyd o'i fag a chnoi ei frechdan gaws heb lawer o awch. Roedd Mademoiselle Guillemin wedi gofyn iddo a oedd rhywbeth yn bod. Roedd wedi gwenu arni cystal ag y gallai a dweud bod popeth yn iawn.

Ond, wrth gwrs, doedd popeth ddim yn iawn. Ddim o bell ffordd. Roedd ei ginio'n dechrau troi arno. Dododd y frechdan 'nôl yn y blwch. Byddai'n rhaid iddo gofio daflu'r gweddill i'r bin – fiw iddo fynd â dim byd adref heb ei fwyta neu byddai ei fam yn siŵr o ddechrau swnian.

Pe bai Gethin yn ddigon dewr, byddai'n dweud y cyfan wrth Caitlin. A phe bai'n ddigon cyfrwys, gallai holi Caitlin cyn dweud y gwrthwyneb wrth Nathan. Ond buan iawn y byddai Nathan yn sylweddoli hyn. Ochneidiodd Gethin. Pa ddewis oedd ganddo mewn gwirionedd? Roedd cael Cai yn elyn yn ddigon drwg. Byddai Nathan yn ganwaith gwaeth.

~

Os cafodd Gethin anhawster canolbwyntio yn y wers Ffrangeg, roedd yn hollol anobeithiol yn ystod gwersi'r prynhawn, hyd yn oed yn y wers Ddaearyddiaeth. Miss Thompson oedd ei hoff athrawes, ynghyd â Mr Davies Cymraeg. Y tymor hwn roedden nhw'n dysgu am y newid yn hinsawdd y byd, ac am yr effeithiau posib. Er bod hyn yn codi tipyn o fraw ar Gethin, yn enwedig pan oedd e'n cael trafferth cysgu yn y nos fel y byddai weithiau, roedd e'n mwynhau'r gwersi. Ond heddiw, y cyfan a lwyddodd Miss Thompson oedd ei wneud yn fwy digalon fyth.

Daeth y gloch olaf a dihangodd y disgyblion yn bendramwnwgl o'r ystafell i'r coridor. Ond yn wahanol i'r lleill a oedd yn carlamu i gyfeiriad y fynedfa, arhosodd Caitlin amdano.

"Wy 'di prynu gwisg ffansi lysh ar gyfer y parti. Fel beth wyt ti'n dod?" gofynnodd iddo'n fyrlymus. Doedd dim syniad gan Gethin am fod ei fam wedi mynnu cadw'r wisg roedd hi'n ei gwnïo yn gyfrinach, ond doedd e'n sicr ddim yn mynd i gyfaddef hynny.

"Wy ddim yn dweud."

"Syrpréis, ie?" chwarddodd Caitlin. "Fi'n rili falch fod ti'n gallu dod i'r parti."

Roedd geiriau caredig Caitlin yn gwneud hyn yn anoddach fyth. Pam oedd rhaid iddi fod mor hyfryd?

Cliriodd Gethin ei wddf. "Dere. Wna i fynd 'da ti at y bws."

Ac wrth iddo'i hebrwng, holodd ei pherfedd am ei hoff gerddoriaeth, ei hoff raglenni teledu, a'i diddordebau – yn union fel roedd Nathan wedi gofyn iddo wneud. Pan gyrhaeddon nhw'r bws, ffarweliodd Gethin â hi.

"Pam? Ti ddim yn mynd adre?" gofynnodd Caitlin.

"Na. Mae rhywbeth mla'n 'da fi ar ôl ysgol," atebodd.

"Wy'n gwybod yn iawn pam ti wedi bod yn gofyn yr holl gwestiynau 'na," dwedodd Caitlin. Edrychodd Gethin ar y llawr. Oedd hi rywsut wedi darganfod y gwir?

"Ti mor swît. Ond sdim rhaid i ti roi anrheg i fi, ti'n gwbod, wir," dwedodd Caitlin gan wenu, cyn dringo ar y bws. Aeth y garreg yn stumog Gethin yn drymach fyth. Roedd hyn mor annheg! Ond dylai wybod bellach nad oedd bywyd yn deg. Roedd ei fam wedi dweud hynny wrtho droeon.

~

Llwyddodd Gethin i gerfio enw Caitlin ar gaead y blwch yn daclus a rhoi tipyn o sglein ar y pren hefyd. Roedd yn siŵr y byddai Caitlin wrth ei bodd gyda'r anrheg. Dyna'r peth pwysig. Roedd yn gwybod yn iawn nad oedd yn ddigon tal, golygus nac aeddfed i fod yn rhywun y byddai Caitlin yn ei ffansïo. Hyd yn oed os byddai Caitlin yn ddigon annoeth i fynd allan gyda Nathan, doedd dim rheswm pam na allai hi a Gethin fod yn ffrindiau.

Wrth iddo nesáu at y gatiau, gwelodd ffigwr cyfarwydd yn sefyllian yno'n fygythiol, er bod yr ysgol wedi cau ers dwyawr.

"Ble ti 'di bod?" gofynnodd Nathan yn swta. "Ro'n i'n disgwyl amdanat ti."

"Sorri, do'n i ddim yn gwybod. Ro'n i yn y clwb technoleg," esboniodd Gethin, heb ddweud yn union pam.

"Gwed wrtho fi beth ti 'di ffindo mas."

Nid cwestiwn oedd hyn. Gorchymyn. Ac er bod Gethin yn gwybod yn iawn y byddai'n difaru maes o law, fe adroddodd bopeth wrtho. Gwrandodd Nathan yn astud, yn llowcio pob un manylyn.

Pan oedd Gethin wedi gorffen, syllodd Nathan arno'n feddylgar. Roedd ei lygaid bron mor dreiddgar â rhai Caitlin. Gafaelodd Gethin yn dynn yn ei fag. Camgymeriad.

"Beth sydd 'da ti yn dy fag?"

"Dim byd."

Mewn chwinciad, rhwygodd Nathan y bag o'i ddwylo. Twriodd ynddo a chymryd yr anrheg allan. Syllodd arno'n ofalus, gan ei droi yn ei ddwylo.

"Perffaith," dwedodd Nathan gan wenu. Roedd ei wên yn fwy arswydus na'i wg, hyd yn oed. "Wy'n credu wna i ei roi fe i Caitlin fy hunan." Cadwodd y blwch pren a thaflu bag Gethin yn ddiseremoni ar y llawr.

"Un peth arall," ychwanegodd Nathan. "Wy moyn i ti gadw bant o Caitlin o hyn allan, ocê?"

Eto, gorchymyn nid cwestiwn. Trodd Nathan ar ei sawdl heb ffwdanu disgwyl am ymateb Gethin. Na, dydi hyn ddim yn ocê! Dyna roedd Gethin eisiau ei floeddio, reit yn ei wyneb. Ond wrth gwrs ddwedodd e ddim gair. Safodd yno am oesoedd yn syllu i'r pellter fel llipryn mud, hyd yn oed ar ôl iddi ddechrau bwrw glaw'n drwm.

7

"Wrth gwrs dy fod ti'n mynd – yn enwedig ar ôl i fi drafferthu gwneud gwisg arbennig i ti!" taranodd mam Gethin.

Roedd e newydd ddweud wrthi nad oedd am fynd i barti Caitlin wedi'r cwbwl, gan esgus ei fod yn teimlo'n sâl. A doedd ei fam ddim yn hapus. Fel arfer, roedd hi'n llawn cydymdeimlad pan oedd e'n anhwylus. Rhoddodd gynnig arall arni.

"Ond wy'n teimlo'n rili sâl, Mam."

"Wedi cynhyrfu wyt ti – dyna i gyd. Fyddi di'n iawn unwaith i ti gyrraedd 'na."

"Ond Ma-am, ti ddim yn deall ..."

"Ti'n mynd, a dyna ddiwedd arni."

Gwyddai Gethin nad oedd diben dadlau ymhellach, na dweud y gwir wrthi am fygythiad Nathan, chwaith. Byddai hi'n mynd yn benwan, ac yn creu'r ffwdan ryfeddaf yn yr ysgol. Roedd stumog Gethin yn corddi go iawn erbyn hyn. Efallai y gallai wneud iddo'i hun fynd yn sâl yn y tŷ bach; efallai byddai ei fam yn gadael iddo aros adref wedyn.

"Reit, dim rhagor o ddwli. Tria dy wisg 'mlaen."

Dododd ei fam y wisg ffansi ar wely Gethin cyn mynd allan o'r stafell gan gau'r drws yn glep.

Yn gorwedd ar y gwely roedd clogyn mawr gwyrdd. O dan y clogyn roedd siaced syml, gwasgod a throwsus – a phob un dilledyn yn lliw melyn llachar. Ac yn hongian o dan y trowsus – oedd yn edrych yn llawer rhy fyr, hyd yn oed i Gethin – roedd dau beth rhyfedd iawn: pâr o sliperi rwber gyda blew cyrliog ar y top. Sylweddolodd mewn fflach pa wisg roedd ei fam wedi'i gwneud iddo. Nid un Draciwla. Nac un Sombi. Nac un Darth Vader chwaith. Ond, yn hytrach, gwisg Hobbit ...

Hobbit! Sut allai ei fam fod mor dwp? Doedd Hobbit ddim yn frawychus o gwbwl – ac roedd pawb yn gwybod mai codi ofn ar bobl oedd holl bwynt Calan Gaeaf. Ac yn waeth na hynny, roedd yr Hobbit yn enwog am fod yn fach. Doedd posib nad oedd ei fam y sylweddoli pa mor sensitif roedd Gethin am ei daldra – neu'n hytrach, ei ddiffyg taldra.

Ochneidiodd yn ddwfn. Rhoddodd y wisg amdano. Roedd yn ffitio'n berffaith, gwaetha'r modd. Aeth i'r stafell ymolchi i edrych arno'i hun yn y drych. Yn ei wisg felen a'i glogyn gwyrdd, roedd e'n edrych fel cenhinen bedr. Neu fel caneri. Yn sicr, doedd e ddim yn edrych yn cŵl.

Cerddodd Gethin yn benisel i stafell wely ei fam. Syllodd hi arno heb ddweud gair. Yna ymledodd gwên fach dros ei hwyneb.

"Dim yn ddrwg o gwbwl, er taw fi sy'n dweud."

Am unwaith, doedd Gethin ddim yn medru mwynhau gweld ei fam yn gwenu. Gwyddai y dylai ddiolch iddi am ei holl waith, ond gwrthodai'r geiriau ddod y tro hwn.

~

O leiaf ei bod hi'n dywyll yn nhŷ Caitlin, meddyliodd Gethin wrth helpu ei hunan i'w ail wydraid o bop lliw porffor llachar yn y gegin. Roedd e'n gallu clywed y lleill yn sgrechian ac yn chwerthin bob yn ail yn y stafell nesa, hyd yn oed trwy'r clustiau mawr plastig oedd ynghlwm wrth y wig oedd yn cosi ei ben. Doedd dim byd yn goleuo llawr isaf y tŷ heblaw am ganhwyllau, rhai ohonyn nhw wedi'u gosod mewn pwmpen ac eraill ar soseri. Fyddai mam Gethin byth wedi caniatáu hyn. Roedd y cyfan yn llawer rhy beryglus.

"Fan hyn wyt ti'n cuddio," dwedodd Caitlin, oedd wedi bod yn chwilio amdano. Roedd hi wedi gwisgo fel gwrach – y wrach harddaf a welodd Gethin erioed.

"Mae dy wisg di'n rili dda. Rhaid bod dy fam wedi bod wrthi am ages," ychwanegodd.

"Do," atebodd Gethin, mor frwdfrydig ag y gallai.

"Diolch am yr anrheg. Dewis diddorol."

Roedd yn amlwg o'r ffordd y dwedodd 'diddorol' nad oedd Caitlin wedi'i phlesio llawer gan yr anrheg, sef cryno-ddisg. Doedd dim un cryno-ddisg o'i hoff grŵp yn y siop leol, felly bu raid i Gethin brynu un arall ar hap. Cymerodd lymaid arall o'r pop rhag dweud rhywbeth y byddai'n ddifaru ... er enghraifft, fod ganddo anrheg lawer gwell ond bod Nathan wedi'i dwyn. Corddodd ei stumog, ac nid y pop oedd ar fai. Fedrai ddim peidio â dychmygu sut byddai Caitlin wedi ymateb pe bai wedi medru rhoi ei anrheg go iawn iddi.

"Dere. Ni'n mynd mas."

"Allan? Pam?" gofynnodd Gethin yn betrusgar. Y peth diwethaf roedd e eisiau ei wneud oedd gadael tŷ Caitlin yn ei wisg Hobbit.

"*Trick or treat*, wrth gwrs," chwarddodd Caitlin. Ond doedd Gethin ddim yn teimlo fel chwerthin. Beth petai rhywun yn ei weld ac yn dweud wrth Nathan?

~

Roedd y rhan fwyaf o'r cymdogion yn ateb y drws, chwarae teg, ac wedi prynu losin – digon i'r criw i gyd: Gethin a Caitlin; ffrindiau gorau Caitlin o'r stryd, Holly a Molly (oedd hefyd wedi gwisgo fel gwrachod); eu brodyr Joshua a Tyler; a thair merch o'r ysgol, Ffion, Natalie a Bethan. Roedd mam Caitlin wedi rhoi dau gwdyn mawr fel sach iddyn nhw i gasglu'r losin, er mwyn rhannu'r trysor melys yn gyfartal rhwng pawb ar ôl dod 'nôl i'r tŷ.

Dim ond Tyler, brawd bach pedair oed Molly, oedd yn cymryd unrhyw sylw o Gethin, heblaw am Caitlin, wrth gwrs. Doedd Tyler heb stopio syllu arno drwy'r nos am ei fod yn credu mai Hobbit go iawn oedd yn ei gwmni.

Yn sydyn, atseiniodd clec anferth rhwng y tai fel taran. Bang! Roedd rhywrai wedi gollwng tân gwyllt ffrwydrol ar waelod y stryd. Teimlodd Gethin law fechan yn gafael ynddo. Edrychai Tyler i fyny arno'n ofnus gyda'i lygaid mawr. Dwedodd Gethin wrtho am beidio poeni.

Bang! Un arall. Pwy oedd yn gwneud yr holl sŵn? Trodd Gethin a gwelodd tua hanner dwsin o sombis ben pella'r stryd, gydag un sombi anferth yn eu harwain. Yn cerdded wrth ei gwt roedd bwystfil bach oedd yn fwy dychrynllyd na'r lleill i gyd, rywsut, er ei faint pitw. Aeth ias drwy Gethin hefyd wrth iddo sylweddoli mai'r sombi mawr tal oedd neb llai na Nathan Jenkins, a'r pwtyn wrth ei ochr oedd Cai Thomas. Oedd Nathan wedi adnabod Caitlin? Ac yn fwy pwysig, oedd Nathan wedi'i adnabod e?

Dechreuodd Tyler grio. Rhag iddo ddechrau denu sylw, rhoddodd Gethin ei law ar ei ysgwydd i'w gysuro, gan fflicio'r clogyn gwyrdd o'r neilltu wrth wneud hyn. Fel mae'n digwydd, yr eiliad nesaf, fe roddodd Nathan arwydd i'w griw i droi 'nôl. Cyd-ddigwyddiad, wrth gwrs. Ond i Tyler bach, roedd yn ymddangos fel petai Gethin wedi achosi hyn drwy godi ei law a sibrwd rhyw eiriau hud.

Chwarddodd pawb. Protestiodd Tyler, gan daeru mai'r Hobbit a'u hachubodd, ond roedd hyn yn gwneud i bawb chwerthin yn uwch. A theimlodd Gethin don o ryddhad yn llifo drosto wrth weld Nathan a'i griw dieflig yn diflannu o'r golwg.

~

Rhyw hanner awr yn ddiweddarach roedd pawb wedi dechrau blino, yn enwedig Tyler, oedd wedi dechrau swnian ar ei chwaer. Yn ogystal, roedd y ddau gwdyn yn orlawn o losin ac felly penderfynodd pawb roi'r gorau iddi a mynd 'nôl i'r tŷ. Roedd Gethin yn falch am fod ei sliperi rwber rhyfedd yn dechrau brifo erbyn hyn hefyd.

"Fi jyst yn mynd i dynnu'r pethe twp 'ma," dwedodd Gethin wrth Caitlin. "Ewch chi mla'n i gadw Tyler yn hapus."

"Ocê. Paid bod yn hir."

Eisteddodd Gethin ar wal isel. Edrychodd i lawr dros y dre a'i holl oleuadau, fel cannoedd o ganhwyllau Calan Gaeaf. Aeth ati i dynnu'r sliperi rwber ond doedd dim posib eu diosg. Roedd fel pe bai rhywun wedi'u gludo i'w draed. Doedd dim amdani felly ond cerdded yn ôl i dŷ Caitlin gyda'r sliperi am ei draed.

Sylwodd Gethin ddim ar y cysgodion bygythiol oedd yn llechwra mewn lôn gul oedd yn arwain i fyny'r rhiw oddi ar y stryd ... nes ei bod hi'n rhy hwyr. Saethodd braich allan o'r tywyllwch a'i lusgo'n ddiseremoni i ddüwch y lôn.

"*Trick or Treat?*" gofynnodd llais cras, cyfarwydd. Llais i godi ofn ar y meirw. Llais Nathan.

Goleuodd tân gwyllt yr awyr yn aur ac yn wyn am eiliad, digon i Gethin weld rhywbeth yn sgleinio yn llaw Nathan. Cyllell? Gydag un naid ddeheuig gwibiodd heibio Nathan a rhedeg nerth ei draed i fyny'r lôn dywyll gul.

Doedd neb yn disgwyl i hyn ddigwydd, gan gynnwys Gethin. Safodd Nathan yn stond am ychydig eiliadau cyn hyrddio ei hun ar ei ôl gyda bloedd annaearol, a'r sombis eraill yn ei ddilyn, fel cŵn cynddeiriog.

Dringodd Gethin yn uwch ac yn uwch, er bod y lôn serth yn sugno pob tamaid o'i egni. O fewn dim, roedd popeth yn brifo – ei ysgyfaint, ei goesau, ei draed. Hyd yn oed ei freichiau. Roedd ei ben yn siglo o un ochr i'r llall fel doli glwt a'i geg ar agor yn llowcio'r aer oer. Yn union fel Emil Zátopek, meddyliodd, a dychmygodd sut y byddai Gransha'n ei ganmol.

Ond nid nawr oedd yr amser i hel meddyliau. Daeth Gethin at ddiwedd y lôn a sylweddolodd ei fod bron ar ben y bryn. Trodd i weld Nathan yn brwydro i fyny'r rhiw tuag ato. Roedd Cai ychydig y tu ôl iddo. Ond roedd y lleill yn bell i ffwrdd.

Gorfododd Gethin ei hun i symud ei goesau. Un ymdrech fawr arall. Trodd i'r dde ar hyd llwybr oedd yn arwain dros gae tuag at goedwig. Pe bai Gethin ond yn medru ei chyrraedd, efallai byddai siawns iddo guddio.

Rhedodd ar draws y rhimyn o dir gwlyb. Sylweddolodd gyda braw ei fod yn arafu a bod y tir fel triog sticlyd – yn union fel yn yr hunllef. Dyma oedd ei hystyr, felly. Nathan oedd yr anghenfil. Ac roedd yn mynd i'w ddarnio. Ychydig eiliadau'n unig oedd rhyngddo a Nathan bellach. Efallai mai'r peth gorau fyddai ildio, meddyliodd. Sefyll yn stond. Derbyn yr anochel.

Ond wrth i Nathan gymryd y camau tyngedfennol olaf tuag ato, syrthiodd hwnnw ar ei hyd dros hen foncyff pwdr. Dyma gyfle annisgwyl arall, ac o rywle, daeth Gethin o hyd i'r nerth i symud ei goesau, eto'n sigledig. De, chwith. De, chwith. De, chwith.

Cyn hir, roedd Gethin wedi cyrraedd y goedwig. Llwyddodd i ddringo dros y gamfa a hercian ar hyd llwybr cul rhwng y coed. Yn ffodus i Gethin, roedd y llwybr yn mynd ar i lawr felly medrodd gyflymu cryn dipyn. Roedd yn gallu clywed Nathan a Cai y tu ôl iddo'n rhywle yn ei fygwth, a'u rhegfeydd yn llenwi ei glustiau.

Penderfynodd adael y llwybr. Llusgodd ei hun trwy'r brigau nes dod ar draws cylch o hen goed derw mawr oedd yn creu rhyw fath o stafell dywyll reit yng nghanol y goedwig – yr union le i guddio. Wrth i Gethin wneud ei orau glas i reoli ei anadl, sylweddolodd pa mor dynn oedd ei frest mewn gwirionedd – mor dynn â phe bai rhywun wedi rhoi gwregys dur o'i chwmpas. Roedd y boen yn waeth na'r adeg honno y deffrôdd o'i hunllef, hyd yn oed. Aeth y byd yn fach, fach. Dim ond Gethin. A'r boen.

Y peth diwethaf i Gethin ei weld wrth iddo syrthio i'r llawr oedd y sêr rhwng brigau'r coed. Yn disgleirio. Fel llygaid Caitlin.

Ac yna aeth popeth yn dywyll.

RHAN 2

8

Y peth cyntaf clywodd Gethin oedd sŵn brain yn crawcian. Agorodd ei lygaid a gweld dwy frân fawr ddu yn syllu arno o gangen un o'r coed derw oedd yn gylch o'i gwmpas. Rhaid ei fod wedi bod yma drwy'r nos. Yng ngolau gwan y bore, roedd y coed yn edrych yn llai na neithiwr. Edrychodd i fyny i'r awyr, a thrwy'r brigau gwelodd haid gyfan o frain yn hedfan yn uchel yn yr awyr. Trwy lygaid Gethin, wrth iddo orwedd ar ei gefn, ro'n nhw'n edrych fel corynnod gydag adenydd. Aeth ias drwyddo. Roedd yn gas ganddo gorynnod.

Cododd Gethin gystal ag y gallai. Roedd pob darn o'i gorff yn brifo, ond yn rhyfedd iawn doedd ddim yn teimlo'n oer. Ceisiodd gerdded, ac ar ôl dal ati am ryw funud neu ddwy doedd ei goesau ddim yn stiff o gwbwl. Anelodd Gethin tuag adref, er nad oedd ganddo fawr o syniad lle roedd hwnnw am fod y goedwig mor drwchus; yn wir yn llawer mwy trwchus nag yr oedd wedi ymddangos neithiwr.

O'r diwedd cyrhaeddodd Gethin ymyl y goedwig. O fewn dim byddai'n medru gweld Pontypridd oddi tano, a gwybod yn union lle'r oedd e, a sut i gyrraedd ei dŷ. Suddodd ei galon wrth iddo sylweddoli bod pawb erbyn hyn yn siŵr o fod yn poeni eu henaid amdano. Roedd yn siŵr o fod wedi sbwylio parti Caitlin. A beth am ei fam? A fyddai hi'n grac neu'n falch o'i weld? Neu'r ddau?

Heb rybudd, tawodd sŵn cecrus y brain. Aeth popeth yn dawel. Yn rhy dawel o lawer. Wrth i Gethin syllu dros ochr y bryn i lawr tuag at y dre sylweddolodd pam. Roedd Pontypridd wedi diflannu.

Rhwbiodd ei lygaid. Doedd hyn ddim yn bosib. Edrychodd eto. Lle safai tref brysur ychydig oriau ynghynt, y cyfan oedd yno bellach oedd ambell fwthyn, caeau a choed. I lawr yr afon gwelodd bont bren. Doedd dim golwg o un o'r pethau enwocaf yn y dref, chwaith, sef pont fwa garreg William Edwards. A'r un oedd yr olygfa yr ochr draw i'r cwm: dim byd ond caeau ac ambell adeilad bach gwyn yn britho'r bryniau. Ble yn y byd oedd e?

Cyn iddo gael cyfle i feddwl dim pellach clywodd sgrech y tu ôl iddo. Trodd a gwelodd rywun – neu rywbeth – yn rhedeg i ffwrdd, yn annaturiol o gyflym, fel rhyw greadur estron mewn ffilm arswyd. Sgrechiodd Gethin hefyd a'i heglu hi i'r cyfeiriad arall. Er gwaetha'r ffaith ei fod wedi cael cymaint o fraw, fedrai Gethin ddim peidio â sylwi pa mor rhwydd y gallai redeg.

Ar ôl ychydig o funudau, penderfynodd Gethin y byddai'n ddoethach peidio mynd ymhellach i berfedd y goedwig, a ymddangosai'n dywyll a diddiwedd. Daeth o hyd i glwstwr trwchus o goed ifanc – lle delfrydol i guddio. Eisteddodd ar garreg fawr yn eu canol. Wrth iddo gael ei wynt ato, sylweddolodd nad oedd ei ysgyfaint yn brifo o gwbwl. Am deimlad braf! Gwenodd, nes iddo glywed rhywun – neu rywbeth – yn agosáu. Y creadur estron wedi dod yn ei ôl, tybed? Efallai nad oedd Gethin yn dal ar y Ddaear o gwbwl. Efallai ei fod, rywsut, wedi canfod ei hun mewn dimensiwn arall neu ar blaned bellennig.

Gwelodd Gethin nad rhyw fwystfil bychan oedd yn cerdded tuag ato ond bachgen ifanc, tua'r un oed â Gethin ei hun. Ond nid bachgen cyffredin mo hwn. Roedd ei ddillad yn edrych yn hen ffasiwn iawn. Doedd dim sgidiau ar ei draed ac roedd ei wallt du yn flêr – yn wir, roedd yn edrych fel petai heb fod yn agos at fath neu gawod ers tro. Ai ysbryd oedd e?

Wrth iddo agosáu, roedd y bachgen yn gwneud siâp croes gyda'i ddwylo'n ddi-baid ac yn mwmian rhywbeth oedd yn swnio fel gweddi neu rigwm. Sylweddolodd Gethin fod y bachgen i'w weld hyd yn oed yn fwy ofnus ohono fe nag oedd Gethin o'r bachgen.

"Tawnimarwtadawetwsygwirychchifendithymamayn-myndfelsglemin!"

Roedd y geiriau'n byrlymu o geg y diethryn yn un ffrwd garbwl. Edrychodd Gethin arno'n syn, heb ddeall dim. Gwelodd y bachgen nad oedd gan Gethin syniad am beth roedd yn sôn felly gwnaeth ymdrech i siarad yn fwy araf.

"Tawn i'n marw! Tada wetws y gwir! Y'ch chi Fendith y Mama yn mynd fel sglemin!"

Cymraeg roedd y bachgen yn siarad, felly, ond Cymraeg rhyfedd iawn ac yn sicr yn wahanol i ddim byd roedd Gethin wedi'i glywed o'r blaen. Wrth i Gethin geisio dyfalu union ystyr geiriau'r bachgen, teimlodd ryw swits yn tanio yn ei ben a syrthiodd popeth i'w le. Deallodd mai'r hyn oedd yn ei olygu oedd: "Wel, wel! Dwedodd Dad y gwir! Y'ch chi dylwyth teg mor gyflym ag ystlum."

Tylwyth teg? Wrth gwrs! Roedd Gethin yn dal yn ei wisg Hobbit. Yn sydyn, syrthiodd y bachgen ar ei liniau, fel petai wedi cael braw, gan blygu ei ben.

"Maddeuwch imi. Ddylswn i ddim wedi'ch cyfarch heb ganiatâd. At eich gwasanath," dwedodd y bachgen. Roedd gyda'r bachgen barch mawr iawn tuag at y tylwyth teg, yn amlwg. Edrychodd ar Gethin yn ddisgwylgar o gil ei lygad. Penderfynodd Gethin beidio esbonio mai bachgen oedd e hefyd ... am y tro, o leiaf. Cliriodd Gethin ei wddf.

"Ble ydw i?" gofynnodd, a'i lais yn gryg.

"Coedwig Craig-yr-hesg. Plwyf Llanwynno. Morgannwg."

Yn union lle roedd o'r blaen, felly, er bod hyn yn ffordd eithaf od o ddisgrifio lle roedd e. *Haws o lawer jest dweud 'Pontypridd', does bosib*, meddyliodd Gethin.

"A beth yw'r dyddiad?" mentrodd.

"Dydd Calan Gaea, 1713."

Aeth cefn gwddf Gethin yn sych grimp. 1713? Roedd rywsut wedi teithio dros dri chan mlynedd i'r gorffennol! Dim rhyfedd nad oedd y bachgen wedi enwi'r dref, felly – doedd Pontypridd ddim hyd yn oed yn bodoli yr adeg honno. A doedd y bont garreg heb ei hadeiladu.

Tra oedd Gethin yn ceisio dygymod â'r wybodaeth newydd ysgytwol hon, cododd y bachgen a chamu tuag ato. Rhyfedd. Roedd yn union yr un maint â Gethin, i'r centimetr. Er ei fod yn fyr, safodd yn unionsyth a chyflwyno ei hun mewn llais ffurfiol:

"Gruffydd Morgan. Ond Guto mae pawb yn fy ngalw i. Guto Nyth Brân."

9

Roedd Gethin yn dechrau poeni na fyddai Guto byth yn dychwelyd ac y byddai ar goll yn y goedwig am byth. Roedd Guto wedi'i adael yno gan addo nôl bwyd a dillad iddo. Faint yn ôl oedd hynna? Dwy awr? Tair? Roedd pob munud yn awr a phob awr yn funud, rhywsut.

O'r diwedd clywodd Gethin sŵn rhywun yn agosáu. Gwelodd Guto yn brasgamu tuag ato. A'r tu ôl iddo roedd tri bachgen arall yn rhythu arno, a'u llygaid fel soseri. Cyflwynodd Guto nhw, fesul un.

"Deutho i â'm ffrindia gora i gwrdd â chi. Ifan Blaenhenwysg, Dafydd Penrhiwgwynt, a Siencyn Hafod Ucha."

Gwenodd y bechgyn arno'n swil. Roedd rhywbeth cyfarwydd iawn amdanyn nhw. Yna sylweddolodd Gethin i bwy roedden nhw'n debyg. Y Tri Trist!

"A chwitha?" gofynnodd Guto.

"Galwch fi'n Gethin."

Estynnodd Guto liain ato. Roedd darn o fara fflat, caled wedi'i lapio ynddo.

"Bara cri. Fawr o wledd, mae'n ddrwg gen i, Gethin."

Cnodd Gethin ddarn o'r bara. Roedd ychydig yn galed a braidd yn sych ond roedd yn well na dim. Cymerodd Gethin ddarn arall a'i stwffio i'w geg.

"Dyma ddillad," ychwanegodd Guto, gan estyn sach. Roedd golwg hyd yn oed fwy truenus ar y dillad yn y sach na'r hyn roedd Guto a'r lleill yn eu gwisgo. Ceisiodd Gethin wenu rhag iddo ymddangos yn anniolchgar.

Ar ôl gorchymyn y bechgyn i aros yn eu hunfan, aeth Gethin i newid ei ddillad. Doedd ddim eisiau i'r lleill sylweddoli mai gwisg ffansi oedd ei ddillad tylwyth teg. Rhoddodd y dillad carpiog amdano. Roedd arogl trymaidd ar y dillad ac roedd y defnydd yn gras ac yn cosi'n waeth na'r wig gwirion oedd yn dal ar ei ben. Tynnodd y wig a'r sliperi, a hynny'n ddidrafferth y tro hwn.

Wrth iddo ddodi'r wisg ffansi yn y sach, saethodd poen trwyddo. Roedd y bara yn ei stumog yn drwm fel carreg, fel petai'n brwydro yn erbyn ei gorff.

Cafodd Gethin gryn drafferth cerdded yn ôl i le roedd y bechgyn yn aros amdano, a chafodd y bechgyn fraw o weld pa mor welw oedd ei wyneb. Cyn i Gethin gael cyfle i esbonio bod rhywbeth mawr o'i le, dechreuodd yr holl fyd droi o'i gwmpas. Pellhaodd lleisiau pryderus y bechgyn. Llewygodd Gethin yn y fan a'r lle, am yr eildro mewn llai na deuddeg awr.

~

Ceisiodd Gethin ail-fyw y daith flinedig o'r goedwig i Nyth Brân, wrth iddo orwedd yn cuddio o dan bentwr o wellt yn y beudy, er mwyn ceisio aros ar ddi-hun. Roedd rhywbeth ym mêr ei esgyrn yn dweud wrtho am beidio syrthio i gysgu, er gwaetha'r ffaith fod ei lygaid mor drwm.

Roedd Guto a'i ffrindiau wedi llwyddo i'w godi a'i helpu i gerdded, neu ei gario, bob cam – y ddwy filltir hiraf i Gethin orfod eu cerdded erioed. Doedd y lonydd yn ddim mwy na llwybrau mewn gwirionedd, a heblaw am yr hanner dwsin o ffermydd ac ambell fwthyn y dangosodd Guto iddo ar y ffordd, doedd dim adeilad i'w weld yn unman. Ar yr unig dro y daeth rhywun i'w cyfarfod, cuddiodd y bechgyn tu ôl i'r clawdd, cyn cychwyn arni eto yn herciog.

Wrth iddynt nesáu at Nyth Brân, roedd Gethin yn medru teimlo ei feddwl a'i gorff yn llithro, felly ceisiodd aros yn effro drwy gyfri ei gamau, tan iddo gyrraedd dros gant a dechrau ffwndro. Yna canodd 'Mi Welais Jac y Do' iddo'i hun yn dawel, drosodd a throsodd, cyn drysu gymaint fel nad oedd yn cofio trefn y llinellau.

Gydol yr amser roedd Guto'n parablu nerth ei ben i geisio codi calon Gethin, felly penderfynodd wneud ymdrech i sylwi ar sut yn union roedd Cymraeg Guto a'r lleill yn wahanol. Ac roedd hyn i'w weld yn gweithio; o leiaf doedd ei lygaid ddim yn cau o hyd.

Sylwodd fod rhai llythrennau'n caledu. Felly aeth y gair 'agor' yn 'acor', 'cadair' yn 'catar', a 'cribo' yn 'cripo'. Hefyd, yn lle dweud 'cerddodd hi' neu 'dringodd e', roedden nhw'n dweud 'hi gerddws' ac 'fe ddringws'. Ac roedd geiriau fel 'tad' yn troi'n 'têd' – ac felly aeth geiriau fel 'tân' a 'gwlad' yn 'tên' a 'gwlêd'.

Cyn i Gethin sylwi, roedden nhw wedi cyrraedd tir Nyth Brân – neu Nyth Brên, fel roedd Guto'n ei ynganu. Cuddion nhw y tu ôl i wrych eto, tan iddi dywyllu. Doedd Guto ddim am i'w rieni wybod ei fod yn dod ag aelod o'r tylwyth teg adref gydag e, am resymau amlwg.

Yn ôl yn y beudy, gwingodd Gethin o dan y gwellt. Roedd y boen yn annioddefol erbyn hyn ac wedi lledu i rannau eraill ei gorff. Teimlodd Gethin fel pe bai'n toddi, yn union fel hufen iâ oedd wedi bod allan o'r rhewgell yn rhy hir cyn ei fwyta. Roedd fel petai'n colli gafael ar y byd.

Agorodd Gethin ei lygaid i weld Caitlin yn sefyll drosto. Yna ei fam. A Gransha. Ond roedd Gethin yn gwybod nad oedden nhw yno go iawn. Daeth wyneb arall i'r golwg, wyneb yn llawn braw – un Guto.

"Helpa fi," sibrydodd Gethin, "cyn ei bod hi'n rhy hwyr."

~

Roedd y nos yn ddu fel bol buwch a'r gwynt yn rhuo ac yn procio ei fysedd main trwy'r gorchudd gwlân oedd wedi'i daenu dros Gethin, ond doedd e prin yn sylwi. Ar yr adegau pan roedd y gwynt yn blino a phylu am ychydig cyn codi eto, gallai Gethin glywed anadl tad Guto'n drwm wrth i hwnnw ei gario ar ei gefn trwy'r tywyllwch, dros y caeau a thrwy'r coed, gan groesi Nant Llwyncelyn ac afon y Rhondda Fach, i fyny'r bryn.

Roedd geiriau ingol Gethin yn y beudy wedi sbarduno Guto i nôl ei rieni ar unwaith. O weld yr olwg druenus oedd arno, roedd yn amlwg bod rhaid gwneud rhywbeth ar frys. Penderfynwyd felly fentro i hen ffynnon sanctaidd gyfagos, yn y gobaith o wella Gethin, a oedd erbyn hyn yn dirywio'n gyflym.

Ar ôl dringo a dringo, roedden nhw o'r diwedd yn uchel ar gefn y bryn, a'r gwynt yn fwy ffyrnig fyth. Bownsiodd Gethin ar gefn tad Guto wrth i hwnnw frysio tuag at y ffynnon. Teimlodd Gethin ei hun yn cael ei roi ar y llawr yn ofalus.

"Paid â'm gadal, 'machgan i," ymbiliodd tad Guto.

Ceisiodd Gethin ei orau i beidio syrthio i gysgu. Roedd amser fel petai wedi drysu. Byddai eiliadau'n mynd heibio heb iddo sylwi ac yna, yn sydyn, byddai'n hollol bresennol, a phob nerf yn ei gorff yn gwbwl effro – gwlân y gorchudd yn ei gosi, fflach y fellten, y ffigwr bach cwyr gyda darn o ddillad Gethin arno y rhoddodd tad Guto ar bwys y ffynnon, geiriau ei weddi daer yn erfyn ar y Forwyn Fair i'w wella, blas sur y dŵr o'r ffynnon ac yna'r oerni pan wthiwyd ei ben o dan y dŵr, a hwnnw mor aruthrol o oer, roedd yn llosgi.

Pan gododd Gethin ei ben o'r ffynnon, ffrwydrodd ei holl synhwyrau. Roedd yn medru gweld pob dim o'i gwmpas yn glir, er mor dywyll oedd hi, ac yn medru clywed murmur y Rhondda Fach yn bell oddi tano, a sisial y Rhondda Fawr ar ochr arall y bryn, er gwaetha dolefain y gwynt. Teimlodd Gethin y nerth yn llifo 'nôl i'w gorff, fel petai rhyw ddoctor gwallgof wedi'i chwistrellu gydag hylif hud. Ond wrth i'r byd o'i gwmpas ddod yn fyw, teimlodd y byd roedd wedi'i adael, y Pontypridd fodern, yn pellhau.

Yna daeth pwl arall o flinder drosto mwyaf sydyn. Ond roedd y blinder yma'n wahanol. Doedd dim ofn arno syrthio i gysgu y tro hwn am ei fod yn gwybod bellach y byddai'n ddiogel.

10

Deffrôdd Gethin a gweld dwy ferch fach yn syllu arno'n syn. Roedd y merched yr un ffunud â'i gilydd: bochau cochion, llygaid mawr glas a gwallt cyrliog du. Trodd y merched ar eu sodlau a diflannu o'r golwg. Clywodd Gethin eu lleisiau'n gweiddi:

"Mam! Mam! Fe ddeffrws y bachgan!"

Cododd Gethin, gan rwbio ei ben i gael gwared â gwelltyn oedd yn sownd yn ei wallt ar ôl bod yn gorwedd ar bentwr o wellt. Roedd yn teimlo fel pe bai wedi cysgu am ddiwrnodau lawer. (A dyna oedd y gwir, fel y byddai'n darganfod maes o law.) Edrychodd o'i gwmpas. Roedd yn sefyll ar ryw fath o blatfform pren, gyda matresi syml mewn rhes arno. Gwelodd ysgol bren a dringo i lawr.

Dyma oedd Nyth Brân, felly. Un stafell agored, gyda lle tân mawr ar un ochr, a'r platfform pren, neu'r groglofft, yr ochr arall, oedd yn amlwg yn rhyw fath o stafell wely i'r holl deulu. Er ei bod yn fore, roedd y lle yn dal yn dywyll. Dim ond un ffenest fach oedd yn y stafell gyfan, ond roedd Gethin yn medru gweld digon i sylweddoli pa mor dlawd a chyntefig yr olwg roedd pob dim.

Roedd y drws ar agor a daeth ychydig o olau gwan mis Tachwedd drwy hwnnw hefyd, ac awel fain ar ei gwt. Crynodd Gethin a rhwbio'i lygaid. Pan agorodd nhw eto, gwelodd Guto'n sefyll yn y drws.

"Dera, brecwast," dwedodd, gan dywys Gethin at fwrdd isel gyda stolion o'i gwmpas. Roedd y merched yn dal i syllu arno. Roedd dynes ger y tân – mam Guto, mae'n rhaid. Trodd y ddynes a gwenu arno.

"Mam?" clywodd Gethin ei hun yn dweud, yn methu credu beth roedd yn ei weld. Os oedd y merched yr un ffunud â'i gilydd, roedd y ddynes hon yr un ffunud â mam Gethin.

"Caid fy ngalw'n Mam os mynni," dwedodd y ddynes, gan ychwanegu, "Dyma Marged a Mari, yr efeilliaid. Ti gwrddast â Guto ishws."

Gwenodd Guto arno ychydig yn lletchwith. Yna clywodd Gethin lais dwfn y tu ôl iddo.

"Caid di fy ngalw'n Dêd hefyd."

Trodd Gethin. Dyma'r dyn oedd wedi'i gario trwy'r gwynt a'r glaw, mae'n rhaid, yr holl ffordd i'r ffynnon sanctaidd. Oherwydd bod y tywydd mor arw, doedd e ddim wedi cael cip go iawn arno y noson honno. Syllodd arno'n gegrwth. O'i flaen roedd dyn cryf, mor iach â chneuen, gyda wyneb hawddgar a mop o wallt trwchus oedd yn dechrau britho – fel hyn yn union yr oedd Gethin wedi dychmygu y byddai ei dad yn edrych!

"A dy enw ditha?" gofynnodd y dyn.

Roedd Gethin yn methu tynnu ei lygaid oddi arno. Rhoddodd sgytwad iddo'i hun. Gwell iddo ateb, rhag ymddangos yn anghwrtais.

"Gethin. Gethin Tanner."

"Tanner?" Doedd cyfenw Gethin yn golygu dim iddo, am nad oedd yn siarad gair o Saesneg.

"Ymm, Tan ... y ... graig," dwedodd Guto mewn fflach, gan geisio'i helpu.

Gwenodd ei dad. Roedd hwn yn enw oedd yn gwneud synnwyr iddo.

"Chlywas ariôd sôn am Dan-y-graig chwaith. Pa le y mae?"

Ceisiodd Gethin feddwl am rywle – unrhyw le – oedd yn eithaf pell ac oedd yn bodoli yr adeg honno. Yna cofiodd iddo fynd am ginio i dafarn mewn pentref bach ar bwys Aberhonddu gyda'i fam a Gransha rywdro pan oedd yn iau.

"Llanfrynach," atebodd Gethin, gan obeithio ei fod wedi dewis yn ddoeth.

"Llanfrynach ..." dwedodd tad Guto. Roedd yn amlwg yn clywed yr enw am y tro cyntaf.

"Aberhonddu," ychwanegodd Gethin.

"Ti ddeuthot yn bell," dwedodd tad Guto'n syn, fel pe bai Aberhonddu yr ochr arall i'r byd. "Guto ddwetws i ti golli dy rieni a dy fod yn amddifad. Nê phoena. Dyma dy gartra di bellach."

Doedd Gethin ddim yn gwybod beth i'w ddweud, ond roedd yn amlwg o edrychiad Guto na ddylai ddweud y gwir. Felly dwedodd Guto yr unig beth a fedrai o dan yr amgylchiadau: "Diolch."

A chyda hynny, eisteddodd y teulu lawr i gael brecwast – rhyw fath o uwd tenau – gyda Gethin yn cael y cynnig cyntaf i ddefnyddio'r unig lwy oedd ar gael.

~

"Mae Plwyf Llanwynno yr un ffurf â phen rhywun sy 'di cêl ei dorri bant," esboniodd Guto, gan ddechrau crafu map â hoelen ar garreg fawr lefn. Roedd Guto wedi tywys Gethin o gwmpas y fferm ar ôl brecwast, ac erbyn hyn wedi dod 'nol i'r buarth. Nawr bod gan Gethin syniad go lew o'i gynefin, roedd Guto eisiau gwneud yn siŵr fod Gethin yn dod i adnabod y plwyf yn ei gyfanrwydd. Aeth Guto yn ei flaen: "Afon Rhondda yw'r gwddwg sy 'di torri yn ei hannar ..."

Gwddf wedi torri yn ei hanner? Roedd Gethin yn meddwl fod hyn ychydig yn waedlyd ond cadwodd yn dawel. Doedd ddim eisiau pechu Guto.

"... wedyn ry'n ni'n dilyn afon Têf tua'r gogledd i wneud yr ên, y geg a'r trwyn ... weli di?"

"Wy'n credu," atebodd Gethin, braidd yn ansicr.

"Pan fydda i 'di cwpla, ti weli yn well," dwedodd Guto, cyn mynd ati i gwblhau'r map. "Afon Cynon sy'n gwneuthur y llygid a'r talcan ... dyma'r corun – Coed Cae Aberaman ... y Rhondda Fêch a llethra Cefn Gwyngul wedyn yw cefn y pen, sy'n mynd 'nôl lawr at y gwddwg lle dechreuon ni."

"Sef afon Rhondda?" cynigiodd Gethin.

"Cywir," cadarnhaodd Guto, cyn creu smotyn ar ôl smotyn ar y map gyda'r hoelen, lle roedd cefn y pen yn cwrdd â'r gwddf.

"Dyma Nyth Brên. A dacw Hafod Ucha, cartra Siencyn."

"Agos iawn," sylwodd Gethin.

Ychydig yn bellach i lawr y gwddf, tua'r ên, roedd Blaenhenwysg, cartref Ifan. Ac ychydig i fyny cefn y pen roedd Penrhiwgwynt, cartref Dafydd. Roedd eglwys y plwyf reit yng nghanol y pen. Aeth Guto ymlaen i ddangos llefydd eraill a fyddai o ddiddordeb, cyn gorffen gydag un lle pwysig iawn.

".... ac i gwpla, dyma Graig-yr-hesg," ychwanegodd Guto, gan bwyntio at yr ên. Syllodd Gethin ar y smotyn. Dyma lle ddeffrôdd, felly, yn y goedwig y tu ôl i'r creigiau.

"Cadwa fa'n ddiocel tan dy fod ti'n adnapod y lle'n well," dwedodd Guto, gan roi'r garreg i Gethin.

Chafodd Gethin ddim cyfle i ddiolch iddo am i'r 'Tri Trist', Dafydd Ifan a Siencyn, gyrraedd y buarth yr union eiliad honno. A doedden nhw ddim mewn hwyliau da.

"Ble fuot? Ro'en ni fod i gwrdd bora 'ma!" cwynodd Dafydd.

"Gethin ddeffrws," esboniodd Guto.

Syllodd y bechgyn ar Gethin, heb ddweud yr un gair. Roedden nhw'n amlwg yn ansicr ohono o hyd.

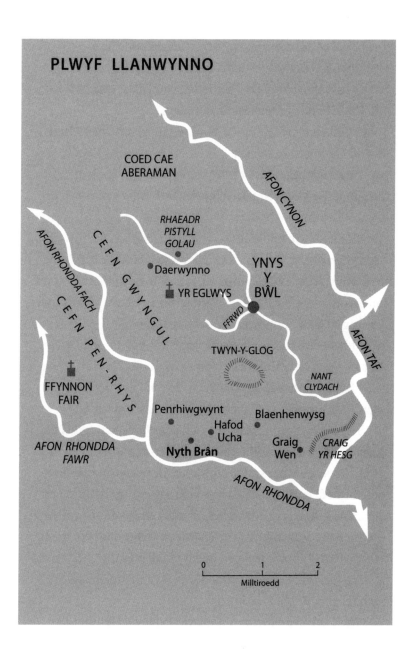

PLWYF LLANWYNNO

COED CAE
ABERAMAN

AFON CYNON

RHAEADR
PISTYLL
GOLAU

AFON RHONDDA FACH

C E F N   G W Y N G U L

Daerwynno

✝ YR EGLWYS

YNYS
Y
BŴL

C E F N   P E N - R H Y S

FFRWD

✝
FFYNNON
FAIR

TWYN-Y-GLOG

AFON TAF

NANT
CLYDACH

Penrhiwgwynt

Hafod
Ucha

Blaenhenwysg

AFON RHONDDA
FAWR

Nyth Brân

Graig
Wen

CRAIG
YR HESG

AFON RHONDDA

0   1   2

Milltiroedd

"Tydi hi dal ddim yn rhy hwyr," cynigiodd Guto.

"I wneud beth?" holodd Gethin.

"I hala Boncyn Wyla," atebodd Siencyn.

Edrychodd Gethin arno'n ddi-glem.

"Whilo am cyff Dolig," esboniodd Ifan ymhellach. Ond doedd Gethin fawr callach.

"Mi feddylias y basa'r tylwyth teg yn gwpod pob dim," dwedodd Dafydd, ychydig yn biwis, wrth weld y dryswch ar wyneb Gethin.

"Usht y dwlbyn! Be tasa'n rhieni yn dy glywad?" hisiodd Guto, cyn troi at Gethin. "Darn mawr o bren yw'r cyff Dolig y byddwn yn doti ar y tên dros y Dolig. Y Boncyn Wyla yw'r un mwya ohonyn nhw i gyd – a bydd pawb yn casglu yn nhŷ pwy bynnag sy gyta'r boncyn."

"Rhyw fath o gystadleuaeth yw e, ie?" gofynnodd Gethin, jest i wneud yn hollol siŵr ei fod wedi deall.

"Dyna ti," dwedodd Guto, cyn troi 'nôl at y bechgyn. "Os y'ch chi'n esbonio petha'n gall mae a'n deall yn iawn."

Heb oedi rhagor, cychwynnodd y bechgyn tua'r goedwig fawr oedd yn gorchuddio rhan isaf y llethrau y tu ôl i Nyth Brân. Roedd Gethin yn falch o'r cyfle i ymestyn ei goesau. Roedd wedi oeri drwyddo wrth iddo sgwrsio gyda Guto ar y buarth. Ei draed oedd waethaf. Doedd Gethin ddim yn siŵr a fyddai'n medru ymdopi gyda cherdded yn droednoeth, ond doedd hyn ddim i'w weld yn poeni'r lleill o gwbwl. *Byddai ei fam yn cael ffit binc*, meddyliodd, yn enwedig am eu bod yn mynd i grwydro heb oedolyn.

Ar ôl cyrraedd cyrion y goedwig, sylwodd Gethin fod y bechgyn eraill wedi peidio sgwrsio.

"Oes rhywbeth yn bod?" gofynnodd Gethin.

"Nê, dim byd," gwadodd Siencyn, gan dynnu ei law trwy ei wallt coch trwchus. Ond roedd Gethin yn medru gweld nad oedd hyn yn wir.

"Mae arnan nhw ofn y bwci-bo," chwarddodd Guto.

"Nace'r bwci-bo. Rhys welws gip o Hen Ŵr y Coed yma sbel yn ôl," dwedodd Ifan.

"Brawd hyna Ifan yw Rhys," esboniodd Guto.

"Ta p'un, mae Hen Ŵr y Coed yn crwydro coedwicodd y fro ..."

"Yn chwilio am blant i'w dala a'u bwyta!" torrodd Dafydd ar ei draws.

"Lap a lol! Hen greatur truenus heb garta yw a – dyna i gyd. 'Nhêd wetws wrtha i," protestiodd Guto.

"Ond dyw a ddim hannar mor ofnatw â Cadwcan y Fwyall," ychwanegodd Dafydd, gan anwybyddu Guto.

"Basa hwnnw'n dy dorri di'n ddarna," dwedodd Siencyn, yn codi hyd yn oed fwy o ofn ar y lleill. "A wetyn 'u doti nhw ar y briga ar gyfer y brain."

Roedd Siencyn ei hun wedi troi'n welw, a doedd Dafydd nac Ifan yn fawr iachach eu golwg.

"Y cilgwns!" wfftiodd Guto. "Sdim ofon arna i!"

Y sydyn, cododd aderyn a hedfan i ffwrdd – yn fflach glas, brown a gwyn – gan wneud sŵn dychrynllyd. Neidiodd pawb, gan gynnwys Guto. Swatiodd y bechgyn i'r llawr i guddio, cyn codi'n smala wrth iddyn nhw sylweddoli mai dim ond aderyn oedd yn gyfrifol. Yr unig un na wnaeth oedd Gethin, am fod ei waed wedi fferru. Ond i'r lleill, roedd Gethin yn ymddangos yn ddewr a di-hid.

"Doedd dim ofon arnat ti?" holodd Dafydd yn syn.

"Wrth gwrs nad oedd," atebodd Guto drosto. "Pwy ofon fasa ar Gethin, a fynta yn ... wel, chi wyddoch."

Roedd Guto wedi osgoi dweud 'tylwyth teg' ar bwrpas. Anlwc fyddai ynganu'r gair yn rhy aml. Ddwedodd Gethin yr un smic. Ceisiodd ymddwyn yn hyderus, ond roedd yn dal i grynu, yn enwedig am nad oedd yn medru cael gwared o'r teimlad bod rhywun yn ei wylio – go iawn.

"Dwyt ti ddim yn mynd i'n gatal ni ar ben ein hunin, wyt ti, a diflannu 'nôl i'r byd arall?" gofynnodd Ifan yn ofnus. Ysgydwodd Gethin ei ben. Roedd y rhyddhad ar wyneb Ifan druan yn amlwg.

Aeth y bechgyn yn ddyfnach i mewn i'r goedwig. Gwnaeth Gethin yn siŵr ei fod yn cadw'n agos at Guto, tan i hwnnw ruthro i ffwrdd ar ôl gweld rhyw foncyff addawol yn y pellter.

"Dacw un dê!" gwaeddodd. Wedi i'r lleill gyrraedd, roedd rhaid cytuno. Roedd y boncyff y maint delfrydol ar gyfer aelwyd Nyth Brân. Ddim yn rhy hir, ond eto'n drwchus iawn. Yr unig broblem oedd sut yn y byd i'w symud.

"Falle gall Gethin roi swyn ar y boncyff," cynigiodd Ifan.

"Syniad dê!" ategodd Siencyn.

Sylweddolodd Gethin fod rhaid iddo feddwl yn gyflym am reswm pam na fyddai'n medru defnyddio hud a lledrith i gludo'r boncyff ... heb ddatgelu'r gwir, hynny yw.

"Ddrwg 'da fi'ch siomi chi, ond dyw 'mhwerau ddim yn gweithio cystal yn y byd hwn."

"Allwn ni fyth ei gario fa," dwedodd Siencyn yn ddigalon.

"Ond fe allwn ni drio ei rolio fe," cynigiodd Gethin.

A dyna wnaethon nhw. Doedd dim pall ar Guto'n canmol

syniad ymarferol Gethin i'r cymylau, ond cwyno yr holl ffordd wnaeth y lleill. Roedd Gethin yn medru synhwyro nad oedden nhw wedi cynhesu ato eto. Doedd hyn yn ddim byd newid iddo, ond cafodd gysur o feddwl fod Guto, o leiaf, i'w weld yn ei hoffi.

11

Roedd y glaw wedi peidio erbyn i'r teulu, yn cynnwys Gethin, gychwyn am eglwys y plwyf, Eglwys Wynno – neu 'Eclws' Wynno fel roedd pawb yn ei ddweud. Ond roedd y gwynt yr un mor ffyrnig, felly cerddodd pawb yn gyflym i fyny trwy'r goedwig y tu ôl i'r fferm er mwyn ceisio cynhesu, gan lapio eu mentyll gwlân yn dynn amdanynt. Ar ôl dringo a dringo a gadael y goedwig y tu ôl iddynt, dechreuodd y tir droi'n fwy gwastad. O'i flaen, gwelodd Gethin fryn oedd yn codi'n hollol dwt a chrwn, fel ploryn mawr.

"Beth yw enw'r twmpa acw?" gofynnodd Guto, yn ei brofi.

Crafodd Gethin ei ben. Roedd yn gwybod yr enw ond yn methu cofio. Yna daeth yr enw fel fflach. "Twyn-y-glog," atebodd.

Chwarddodd Guto, wrth ei fodd fod Gethin yn ddisgybl cystal. O fewn dim roedden nhw wedi cyrraedd troed Twyn-y-glog, ac ymuno â llwybr arall, lletach. Dechreuodd yr efeilliaid gwyno, er i'w rhieni eu hatgoffa eu bod bellach dros hanner ffordd. Er mwyn rhoi taw ar eu swnian, dyma Guto yn eu herio i ras. Ymunodd Gethin hefyd. Hyd yn oed wrth sboncio ar un goes, roedd Guto'n llawer cyflymach na'r lleill. Pan welodd fod yr efeilliaid yn dechrau blino, arafodd, a gadael iddyn nhw ennill.

Gwelodd Gethin bobl eraill, dieithr, yn y pellter. Er i Guto a'r efeilliaid redeg yn eu blaenau, arhosodd Gethin yn ei unfan er mwyn i'w rieni maeth ddal i fyny ag e. Dyma'r tro cyntaf i Gethin fod yn rhywle yn gyhoeddus gyda'r teulu, ac roedd ychydig yn nerfus. Yn fwy na dim, doedd ddim eisiau codi cywilydd ar ei rieni newydd wrth wneud rhywbeth o'i le.

Roedd Gŵyl Domas yn ddiwrnod pwysig ac mi fyddai pawb o drigolion y plwyf yn yr eglwys, er mai dim ond ychydig o ddyddiau oedd tan ddathliadau'r Nadolig. Diwrnod i gofio Sant Tomos yr Apostol oedd hwn, a diwrnod i gofio am bobl dlawd, neu'r 'tlotion', fel roedd mam Guto yn eu galw. Ar ôl yr offeren, byddai rhodd o arian yn cael ei rannu i'r deg person mwyaf tlawd yn y plwyf.

Cafodd Gethin syndod pan welodd yr eglwys. Roedd yr adeilad yn un hynod syml, ac yn debycach i sgubor na dim byd arall. Cafodd ei synnu hefyd gan y llwyth o blant a phobl ifanc oedd wedi ymgasglu wrth borth yr eglwys, yn gweiddi ac yn chwerthin, mor afreolus â disgyblion yr ysgol yn disgwyl i'r gloch gyntaf ganu. Ond roedd un gwahaniaeth mawr: roedd pob un ohonyn nhw'n siarad Cymraeg. Gwelodd Gethin ffrindiau Guto – Ifan, Dafydd a Siencyn – ond doedd dim amser i ymuno â nhw oherwydd roedd yr offeren ar fin dechrau.

Eisteddodd y teulu gyda'i gilydd ar un o'r meinciau pren tua'r cefn. Roedd Gethin yn ymwybodol fod sawl person yn syllu arno, gan geisio dyfalu pwy oedd y dieithryn ifanc hwn.

Gwasgodd mam Guto ei law. Roedd hi wedi esbonio wrtho cyn cychwyn am yr eglwys fod pawb yn y plwyf yn adnabod ei gilydd. Y bwriad oedd i rieni Guto ddweud mai cefnder Guto oedd Gethin. Roedd hyn er mwyn osgoi i Gethin orfod gadael y plwyf ar ôl hyn a hyn o amser, a chael ei anfon yn ôl at ei blwyf ei hun – dyna oedd y gyfraith ar y pryd. Ers i Gethin gael ei wellhau gan ddŵr swyn Ffynnon Fair, ar lethrau Cefn Pen-rhys, roedd ei rieni newydd yn credu mai anrheg gan y Forwyn Fair oedd e.

Er mwyn osgoi'r holl lygaid busneslyd, syllodd Gethin ar y llawr pridd, gan chwarae gyda'r gwellt oedd wedi'i daenu drosto â'i droed. Roedd yr eglwys yn edrych yn ddigon tebyg i sgubor o'r tu mewn hefyd. Clywodd lais yr offeiriad. Roedd yr offeren ar fin dechrau. Ymlaciodd Gethin, gan wybod y byddai sylw pawb ar yr offeiriad ac nid arno fe.

Ar ôl y gwasanaeth, rhuthrodd y plant i gyd allan, a Gethin yn eu plith. Daeth yr oedolion ar eu holau, yn rhannu hanesion yn swnllyd, yn falch o gael y cyfle i glywed newyddion y plwyf.

Dechreuodd Guto a chriw o'r plant eraill chwarae gêm gyda phêl wedi'i gwneud o bren, reit o flaen yr eglwys. Doedd Gethin ddim yn siŵr iawn o'r rheolau – os oedd rhai o gwbwl – ond roedd i'w weld yn rhyw fath o gyfuniad o bêl-droed a rygbi. Gwaeddodd Guto ar Gethin i ymuno, gan daflu'r bêl ato. Daliodd Gethin y bêl, cyn rhedeg yn syth mewn i rywun – wff! – a'i cholli. Teimlodd yn rêl ffŵl, a gwelodd Dafydd a Siencyn yn ysgwyd eu pennau oherwydd ei fod mor drwsgwl. Roedd Gethin ar fin cynnig ei law i'r plentyn roedd wedi'i daro drosodd. Ac yna rhewodd. Pwy oedd yno ond Nathan.

Neu yn hytrach, rhywun yn debyg iddo ond eto'n wahanol, oherwydd doedd y bachgen oedd yn gorwedd ar y llawr yn griddfan ddim yn lwmpyn mawr cryf o gwbwl. Roedd yn denau ac yn welw.

"Nathaniel!" gwaeddodd rhywun. "Cwyd!"

Gwelodd Gethin ddyn blin iawn yr olwg yn gwthio trwy'r dyrfa. Gwaeddodd y dyn ar y bachgen eto i godi ac amddiffyn ei hun, y tro hwn mewn Saesneg gwallus. Ond aros ar y llawr wnaeth Nathaniel. Roedd gan y dyn chwip denau yn ei law, y math roedd Gethin wedi gweld jocis yn ei ddefnyddio wrth rasio ceffylau. Cododd y dyn y chwip a dechrau curo'r bachgen yn ddidrugaredd, gan droi'n ôl i'r Gymraeg.

"Cwyd! Cwyd! Epil diwerth!"

Rhewodd Gethin. Ond nid Guto. Fel fflach, neidiodd Guto dros y bachgen ar y llawr gan osod ei hun rhwng y bachgen a'i dad. Cododd y dyn ei chwip eto. Teimlodd Gethin ei stumog yn crebachu. Guto fyddai nesa. Ond chafodd y dyn ddim cyfle i guro Guto. Roedd tad Guto wedi cipio'r chwip o'i afael.

"Digon yw digon," dwedodd tad Guto'n bwyllog ond yn bendant. Rhythodd y dyn arno cyn halio ei fab i'w draed a'i lusgo i ffwrdd, gan wthio'r plant o'r neilltu. Cymerodd tad Guto'r bêl o ddwylo Gethin a'i thaflu i'r awyr, fel arwydd y dylai'r plant ailgychwyn y gêm.

Neidiodd y plant am y bêl, ond camu i un ochr wnaeth Gethin. Roedd wedi'i siglo i'r carn. Nid yn unig oherwydd yr hyn roedd newydd ei weld, ond hefyd am ei bod yn amlwg bellach fod rhywbeth rhyfedd iawn yn digwydd iddo ...

Roedd tebygrwydd rhwng mam Guto a'i fam ei hun. Roedd tad Guto'n union sut oedd Gethin wedi dychmygu y byddai ei dad ei hun yn edrych. Roedd ffrindiau gorau Guto yr un ffunud â'r Tri Trist. Ac roedd Nathaniel druan, er mor wahanol, yn debyg i Nathan. Craffodd Gethin ar wynebau'r plant eraill. Gallai daeru fod wynebau cyfarwydd yn eu plith – wynebau roedd wedi'u gweld ar iard yr ysgol. Ond er iddo wneud yn siŵr ei fod wedi cael cip go dda ar bawb oedd yno, doedd dim golwg o neb oedd yn debyg i Caitlin.

Gwaetha'r modd.

12

Roedd y fasged yn llawn o bethau blasus: afalau, bisgedi, cosyn o gaws, bara brith a hyd yn oed ddarn o gig moch wedi'i halltu.

"Dy dro di," meddai Guto, gan estyn y fasged at Siencyn.

"Wff. Tipyn o bwysa," ochneidiodd hwnnw, gan afael yn dynn ynddi rhag ei gollwng. Diwrnod cyntaf 1714 oedd hi a'r bechgyn wrthi'n mynd o fferm i fferm ac o fwthyn i fwthyn yn casglu calennig.

"Fyddwch chi'n hala c'lennig yn y byd arall?" gofynnodd Ifan i Gethin. Meddyliodd Gethin cyn ateb. Y petha tebycaf oedd mynd o dŷ i dŷ Nos Galan Gaeaf yn holi 'cast neu trît'.

"Byddwn, heblaw mai losin y cewn ni'n anrheg. Noson galan Gaeaf byddwn ni'n mynd."

"Wrth gwrs. Noson y meirw a'r ysbrytion ..." dwedodd Dafydd, gan grynu drwyddo, ac edrych ar Gethin yn amheus.

"Mae pobl yn cretu fod pethau dychrynllyd yn crwydro'r

wlad y noson honno. Pethau fel yr Hwch Ddu Gwta, bwystfil sy'n bwyta plant sy'n ddigon ffôl i fentro allan yn rhy hwyr," meddai Dafydd.

"Hala C'lennig o'et ti pan ethot ti ar goll a dod mês yng Nghraig-yr-hesg?" gofynnodd Siencyn, yn fusnes i gyd.

"Dyna ddicon o'r holi dwl 'ma," gorchmynnodd Guto, oedd yn medru gweld bod Gethin yn dechrau teimlo'n anghyfforddus.

Er cymaint y croeso yn Nyth Brân, roedd Gethin yn gwybod yn iawn nad oedd ffrindiau gorau Guto wedi'i dderbyn yn llwyr. Hyd yn oed yn ystod dathliadau'r ŵyl roedd Gethin yn gallu teimlo eu bod yn cadw'u pellter – wrth gerdded i'r eglwys ben bore'r Nadolig yn cario'u canhwyllau, neu yng nghanol miri dathlu'r Boncyn Wyla yn Nyth Brân, a'r cwrw cartref yn llifo a phawb yn llowcio'r cacennau bach cri.

Ac nid yn unig y Tri Trist oedd yn amheus ohono. Roedd Gethin yn medru teimlo llygaid y plant eraill yn syllu arno yn y gwasanaeth plygain ar fore'r Nadolig. (A doedd dal ddim arwydd o Caitlin yn eu mysg, gyda llaw.) Ceisiodd anwybyddu'r teimlad annifyr a chanolbwyntio ar ba mor brydferth roedd yr eglwys yn edrych, gyda degau ar ddegau o ganhwyllau'n goleuo'r lle. Roedd fel bod yng nghanol y Llwybr Llaethog.

Neu yn nhŷ Caitlin adeg ei pharti Calan Gaeaf, meddyliodd Gethin wrth gofio'r canhwyllau yn yr eglwys. *Neu'n edrych lawr ar oleuadau Pontypridd o dop Graig Wen.* Teimlodd Gethin y pang mwyaf ofnadwy o hiraeth.

"Beth am alw ar Richard Edwards nesa?" gofynnodd Guto, gan dorri ar draws llif meddwl Gethin. Roedd yn teimlo'r hiraeth yn cydio ynddo'n dynn, ac er mwyn ceisio ymddangos yn hapus, cytunodd yn syth.

"Pam lai?"

"Achos taw'r diafol ei hunan yw a, dyna pam!" gwrthwynebodd Ifan.

"Mae Gethin gyta ni fel swyndlws. Gall hyd yn oed y diafol ei hunan ddim 'nafu un o'r tylwyth teg," dwedodd Guto.

"Heblaw ei fod a wedi gatal y rhan fwya o'i ddonia hud yn y byd arall," cwynodd Dafydd.

"Mae gyda fa fwy o bwera hud na fydd gynnot ti fyth, ta p'un, Dafydd Penrhiwgwynt!" atebodd Guto'n swta. Dechreuodd Siencyn biffian chwerthin. Edrychodd Dafydd arno yn ddig, cyn troi at Gethin.

"Cyn bellad taw ti sy'n taro'r drws a chanu. Oes gen ti ddicon o ddawn i wneuthur hynny?" gofynnodd.

"Oes," atebodd Gethin, mor bendant ag y gallai. Ond roedd yn difaru agor ei geg yn barod. Richard Edwards oedd y dyn blin a gurodd ei fab, Nathaniel, y tu allan i'r eglwys ryw ddeg diwrnod yn ôl ...

Roedd Guto wedi sôn tipyn amdano wedi'r digwyddiad hwnnw. Yn ôl Guto, roedd Richard Edwards yn meddwl ei fod yn well na phawb arall yn y plwyf am ei fod yng ngofal tair fferm oedd yn berchen i deulu cyfoethog o bell. Roedd yn byw mewn tŷ crand – rhy grand o lawer mewn gwironedd – ac yn cyflogi nifer o weision a morynion. Ond efallai y peth pwysicaf – o ran Guto – oedd i'w fam wrthod priodi Richard Edwards, a dewis ei dad. Roedd pethau mor ddrwg rhwng y ddau ddyn fel nad oedd neb yn cael hyd yn oed yngan enw Richard Edwards ar aelwyd Nyth Brân.

Roedd hyn i gyd yn chwyrlïo o gwmpas pen Gethin wrth i'r criw ymdroelli tuag at Plas Coch, cartref Richard Edwards, neu Dic Coed Coch fel roedd pawb yn ei alw y tu ôl i'w gefn. Roedd yn gas gan Richard Edwards y llysenw. Roedd yn llawer rhy Gymreig.

Daeth Plas Coch i'r golwg. Doedd Gethin heb weld ei ddebyg ers cyrraedd yma. Adeilad carreg hirsgwar, deulawr oedd y tŷ, a naw o ffenestri gwydr yn y tu blaen yn unig. I'r ochr, roedd beudai a sgubor fawr, a rhywbeth rhyfedd siâp côn hufen iâ ben ei waered wedi'i wneud o gerrig.

"Weli di'r cwt cerrig acw?" gofynnodd Guto, fel pe bai'n medru synhwyro penbleth Gethin. "Twlc mochyn yw a. Mae sôn fod Nathaniel yn gorfod cysgu yno weithiau, ar ôl i'w dad roi crasfa iddo fa."

"A nace bonclust bach ond wadad a hannar," ychwanegodd Ifan.

Gallai Gethin gredu hynny'n hawdd. Roedd hyd yn oed llai o awydd arno gnocio ar y drws erbyn hyn. Aeth y bechgyn o gwmpas yr adeilad i'r drws cefn. Arhosodd y lleill yn eu hunfan gan adael i Gethin gamu ymlaen at y drws. Cyfrodd i dri a chnocio. Arhosodd. Ddaeth neb. Amneidiodd y lleill iddo geisio eto. Cnoc. Cnoc. Cnoc.

Agorodd y drws. Bu bron i Gethin syrthio ar ei ben-ôl mewn sioc. O'i flaen roedd dyn byr, cyhyrog a'i wyneb yn llawn creithiau. Ond er mor grychog oedd yr wyneb doedd dim posib peidio ei adnabod – Cai Thomas! Rhythodd ar Gethin yn ddrwgdybus.

"Wyt ti am ddwetid rwpath neu dim ond pipo fel delw?" gofynnodd y dyn.

Cliriodd Gethin ei wddf a dechrau canu: "Calennig wyf yn mofyn, Ddydd Calan ddechreu'r flwyddyn ..."

Ond chafodd ddim cyfle i ganu mwy na'r ddwy linell gyntaf.

"Dyna ddicon. Arhosa lle wyt ti. Êf i mofyn rwpath." A dyma'r dyn yn diflannu cyn dod 'nôl gyda chwdyn yn llawn pethau da.

"Gofalus. Mae wyau yn y cwdyn hefyd," meddai'r dyn.

"Diolch yn fawr. A blwyddyn newydd dda," meddai Gethin.

"Blwyddyn Newydd Ddê i chwi, syr," atebodd, gan foesymgrymu a gwenu'n gam. Roedd Gethin yn falch pan aeth 'nôl mewn i'r tŷ.

"Pwy oedd e?" gofynnodd Gethin i'r lleill.

"Ianto. Gwês mwya ffyddlon Richard Edwards," atebodd Siencyn. "Dyn â sawl tro yn ei gynffon."

"Fasa fa'n gwerthu ei fam am geiniog," ategodd Ifan.

"Dota'r petha yn y fasged i ni gêl mynd," dwedodd Dafydd, ychydig yn ddiamynedd, am mai fe erbyn hyn oedd yn cario'r fasged drom. Os rhywbeth, roedd Gethin yn orofalus wrth drosglwyddo'r wyau a gollyngodd un ar y llawr.

"Shgwla beth neuthot ti!" dwedodd Dafydd, cyn troi i ffwrdd yn dal ei drwyn. Trawodd y drewdod Gethin nesaf. Bu bron iddo gyfogi. Roedd yr wy'n ddrwg. Drwy'r ffenest fach ar bwys y drws cefn, gwelon nhw Ianto'n chwerthin.

"Y cena!" bloeddiodd Gethin, gan afael mewn wy a'i daflu at y ffenest. Sbloets. Diferodd y melynwy nadreddog i lawr gwydr y ffenest yn araf. Rhoddodd Guto wy yr un i'r lleill. Daeth Ianto allan o'r tŷ fel coblyn cynddeiriog, yn chwifio ffon fawr.

"Chi gewch flasu hon, y corgwn!"

Taflodd Guto wy arall. Methodd. Brasgamodd Ianto ar draws y buarth. Methodd Dafydd hefyd. A Siencyn. Ac Ifan. Dechreuodd y bechgyn gerdded tuag yn ôl, wysg eu cefnau. Pawb heblaw Gethin. Roedd wedi rhewi i'r unfan ... ac Ianto'n dod yn nes.

"Gethin! Dera!" gwaeddodd Guto.

A chyn iddo sylweddoli'n iawn beth oedd wedi'i wneud, taflodd Gethin yr wy yn ei law, a tharo Ianto reit yng nghanol ei dalcen. Safodd hwnnw'n stond, fel pe bai wedi cael ei saethu. Yna gollyngodd floedd wrth i'r drewdod daro ei ffroenau, a syrthio ar ei liniau gan wag-gyfogi.

"Glou!" gwaeddodd Guto, gan afael ym mraich Gethin a'i lusgo oddi yno.

"Gollyngwch y cŵn! Gollyngwch y cŵn!" bloeddiodd Ianto'n groch ar y gweision eraill oedd wedi dod allan ar ôl clywed y cythrwfwl. Roedd cŵn hela Plas Coch yn enwog drwy'r ardal am fod yn hynod o gyflym. A hynod o ffyrnig.

"Rhitwch nerth eich trêd, fechgyn!" gwaeddodd Guto. Doedd dim angen dweud dwywaith. Mewn chwinciad, roedd pum pâr o goesau'n ei heglu hi am gatiau haearn y fynedfa. Gethin oedd yr olaf, ond o fewn dim roedd wedi pasio Siencyn. Ac yna Ifan. A hyd yn oed Dafydd, oedd yn gyflymach na phawb – heblaw Guto, wrth gwrs.

Rhedodd. A rhedodd. A rhedodd.

"Paid â'n gatal ni, Gethin!" gwaeddodd Siencyn ar ei ôl, a'i lais yn wan. Dim ond y pryd hynny sylweddolodd Gethin pa mor bell o flaen y tri arall yr oedd e. Ac unwaith iddo ddod yn ymwybodol o'i gyflymder, dechreuodd arafu, fel pe bai ei ymennydd yn gwasgu ar ryw frêc.

Edrychodd i fyny a gwelodd Guto'n loncian 'nôl tuag ato.

"Ni'n ddiocel nawr," dwedodd, prin allan o wynt.

Cyrhaeddodd y lleill fesul un, yn chwythu ac yn gwichio. Doedd dim sôn am y cŵn hela. Efallai eu bod wedi cael gormod o fwyd dros yr ŵyl ac yn rhy swrth.

"Welas i ariôd shwt beth! Alla Dafydd ddim 'di taro Goliath yn well!" chwarddodd Siencyn.

"Reit yn 'i wynab salw fa!" dwedodd Ifan.

"Welsoch chi pa mor glou mae Gethin yn medru rhitag? Fel y gwynt!" dwedodd Dafydd, gydag edmygedd newydd yn ei lais.

"Weli, chollws a ddim ei bwera i gyd," dwedodd Guto, a balchder yn ei lais.

Gwenodd Gethin wrtho'i hun. Os oedden nhw'n credu bod ganddo rywfaint o ddoniau hud, yna gorau oll. Doedd e ddim yn siŵr iawn lle y cafodd y gallu i anelu cystal nac i redeg mor rhwydd. Ond doedd dim llawer o ots ganddo. Y peth pwysicaf oedd ei fod wedi gwneud argraff ar y lleill.

13

"Ma hw! Ma hw!" bloeddiodd Guto, gan yrru Gethin, Ifan, Dafydd a Siencyn o'i flaen fel anifeiliaid, yn union fel gwnaeth yr aradwr gyda'i ychain yn Nyth Brân ryw bythefnos ynghynt, pan ddaeth i droi'r tir ar gyfer plannu ceirch. Roedd y gwanwyn yn argoeli'n addawol iawn, ac yn dawel bach, roedd Guto a'r lleill yn meddwl mai diolch yn rhannol i Gethin roedd hynny. Roedd calennig da yn dod â lwc dda. Ac roedd calennig eleni wedi bod yn un i'w gofio.

Roedd Gethin wedi cymryd yn ganiataol mai ceffylau fyddai'n tynnu'r aradr (wedi'r cwbwl, roedd e'n gwybod yn iawn nad tractor fyddai'n gwneud y gwaith!), a chafodd ei synnu wrth weld dau anifail tebyg i darw'n cyrraedd gyda'r aradwr. Yn rhyfeddach fyth, wrth gychwyn ar y gwaith, dechreuodd yr aradwr ganu i'r ychain:

"Dou ych yw Silc a Sowin,
un coch a'r nall yn felyn.
Pan yn aretig yn eu chwys
Nhw dorran gŵys i'r blewyn."

Canmol ei ychain oedd yr aradwr, a dweud pa mor dda roedd yr anifeiliaid wrth eu gwaith. Ond y gân gyntaf o nifer fawr oedd hon, oherwydd parhaodd yr aradwr ganu i'w ychain wrth aredig, a hynny am oriau lawer, a'r bechgyn yn ei ddilyn bob cam, gan ddysgu rhai o'r caneuon. Roedd Gethin erbyn hyn wedi'i hen dderbyn yn un o'r criw.

"Ma hw! Ma hw!" gwaeddodd Guto eto, gan yrru'r bechgyn o'i flaen yn gyflymach y tro hwn. Roedden nhw ar eu ffordd i ffair Ynys-y-bŵl, un o ddigwyddiadau mwyaf pwysig yr ardal.

Roedd hwyliau da ar y criw gan nad oedd neb wedi mentro'n bell o'u tai rhyw lawer dros fisoedd gaeafol y flwyddyn newydd. Yn ystod diwrnodau garw Ionawr a Chwefror roedd trigolion y plwyf wedi treulio eu hamser yn bwydo'r anifeiliaid ac yn trwsio offer y fferm. Ac yn ystod y nosweithiau hir, roedd pobl wedi ymgasglu yn nhai eu cymdogion, weithiau er mwyn gwneud canhwyllau o frwyn, droeon eraill er mwyn gweu, gan ddefnyddio'r gwlân a gasglwyd y flwyddyn gynt. Ond yn ddi-ffael, byddai rhywun yn dechrau adrodd straeon.

A phan ddaeth tro Gethin, dewisodd adrodd peth o hanes yr Hobbit, gan honni fod y stori hon yn hen hanes o ardal Aberhonddu. Credai Guto mai adrodd hanes gwlad y tylwyth teg roedd Gethin. Ac er iddo, ar adegau, gael ei demtio i ddweud y gwir wrth Guto ei fod yn dod o'r dyfodol, penderfynodd mai'r peth callach fyddai peidio.

'Nôl ar y ffordd i Ynys-y-bŵl, dechreuodd Guto ganu, gan ddynwared yr aradwr. Ymunodd y lleill a morio canu, drosodd a throsodd:

"Mi fuo lawar blwyddyn

yn canu gyta'r ychin,

bara haidd a chosyn cnap,

dim tishan lap na phwtin – ma hw!"

O'r diwedd bu rhaid rhoi gorau i'r canu am fod eu lleisiau'n gryg, a hefyd am eu bod yn chwerthin gormod. Doedd Ynys-y-bŵl ddim yn bell erbyn hyn, ac roedden nhw'n awyddus i gyrraedd yno.

Roedd bwrlwm y ffair i'w glywed ymhell cyn i'r pentref ddod i'r golwg. Er bod pawb yn sôn am Ynys-y-bŵl fel canolbwynt y plwyf, cafodd Gethin ei synnu i weld mai dim ond rhyw ddwsin o fythynnod oedd yno i gyd. Ond wrth groesi'r bont dros nant Clydach cafodd fwy o syndod o weld gymaint o bobl oedd wedi heidio i'r ffair.

Roedd cannoedd yno, llawer mwy nag oedd yn byw yn y plwyf ei hun, a llawer iawn o bethau ar werth: anifeiliaid, cynnyrch fferm a nwyddau o bob math. Ac roedd y sŵn, ar ôl tawelwch y gaeaf, yn fyddarol – y dorf yn hel clecs, yn tynnu coes, yn cecru, ac yn bargeinio'n frwd wrth brynu a gwerthu, heb sôn am yr holl anifeiliaid yn brefu a rhuo. Yn cystadlu â hyn i gyd roedd ambell faledwr yn canu'r penillion diweddaraf ac yn ceisio gwerthu copi o'r geiriau yr un pryd. Roedd hyd yn oed griw o actorion dewr yn perfformio anterliwt – math o ddrama ddoniol – ar ben cert, a'r gynulleidfa oedd wedi ymgasglu o flaen y gert yn gweiddi ar eu traws.

Tynnodd Guto sylw Gethin at griw o lanciau'n cerdded yn hyderus o gwmpas y lle. Yn hwyrach, ar ôl i'r cwrw lifo, byddai ymladd rhwng y criw yma o fechgyn hŷn plwyf Llanwynno a llanciau'r plwyfi eraill cyfagos, tybiai Guto. Esboniodd nad oedd y rhaniad rhwng y plwyfi'n ddim byd o'i gymharu â hwnnw rhwng y 'blaenau' a'r 'fro'. Blaenau Morgannwg oedd y tir uchel o Lantrisant i Ferthyr, a Bro Morgannwg oedd yr iseldir o Ben-y-bont i Gaerdydd a lawr tuag at y môr.

"Bechgyn y Blaena y'n ni, cofia hynny," dwedodd Guto, yn ddifrifol.

Dechreuodd Gethin deimlo'n anesmwyth tan i Guto ei sicrhau y bydden nhw wedi gadael y ffair a chychwyn yn ôl am Nyth Brân cyn i bethau ddechrau poethi.

Yn sydyn, teimlodd Gethin rywbeth yn tynnu ar ei goes. Edrychodd i lawr ac er mawr syndod gwelodd afr yn cnoi ei drowsus yn fodlon braf. Ceisiodd Gethin wthio'r afr i ffwrdd ond roedd yr anifail yn styfnig tu hwnt, felly rhoddodd gic fach iddi. Y peth nesaf, cafodd ei hyrddio i'r llawr. Roedd rhywun yn ei ddyrnu. Ceisiodd Gethin ei amddiffyn ei hun. Gyda help Ifan, Dafydd a Siencyn, llwyddodd Guto i lusgo pwy bynnag oedd yn ymosod arno i ffwrdd.

Cododd Gethin yn simsan. Trodd a gweld merch wyllt yr olwg yn rhythu arno. Llamodd ei galon. Y tu ôl i'r mwng o wallt blêr doedd dim modd peidio adnabod yr wyneb, er ei fod yn goch gan gynddaredd: Caitlin! Neu'n hytrach, fersiwn llai ohoni. Doedd hon fawr mwy na Gethin, os o gwbwl, ond roedd hi'n edrych fel pwten fach beryglus tu hwnt.

"Gêd di lonydd i Mabli, y bwbach!" poerodd y ferch.

"Ddrwg 'da fi," dwedodd Gethin. Syllodd arni'n syfrdan, wedi'i rwygo rhwng bod yn falch o weld 'Caitlin' o'r diwedd a bod ofn y ferch ffyrnig hon.

"Be sy? Ariôd 'di gwelad merch o'r blên?"

"Neb fal titha, wy'n siŵr o hynny," dweddod Guto ar ran Gethin. Dechreuodd y ferch strancio hyd yn oed yn fwy, cymaint nes i Guto a'r lleill orfod gollwng eu gafael arni. Gydag edrychiad dirmygus i gyfeiriad Gethin, trodd y ferch ar ei sawdl a thywys Mabli yr afr, a gafr ddienw arall, i ffwrdd.

"Pwy oedd honna?" gofynnodd Gethin, unwaith iddo ddod o hyd i'w lais, yn ysu am gael gwybod mwy amdani.

"Catrin, neu Catws, fel mae pawb yn ei galw hi," atebodd Guto, gan ychwanegu: "Gwell cadw draw oddi wrthi. Dyw hi ddim yn sêff. Tymer fel y diafol. A rêl sachabwndi." Gwelodd Guto nad oedd Gethin yn ei ddeall. "Mae hi'n dishgwl fel trempyn."

"Ac yn fwy na hynny, siglwyr yw ei theulu hi," ychwanegodd Dafydd.

"Siglwyr?" gofynnodd Gethin.

"Ti wyddot. Ymneilltuwyr," esboniodd Dafydd.

Ond doedd Gethin dal ddim callach.

"Pobl sydd ddim yn mynd i'r eclws, ac yn addoli miwn tai

ac miwn ambell sgubor gyffredin," ychwanegodd Guto.

Roedd Gethin ar fin cynnig nad oedd eglwys Llanwynno yn fawr mwy na sgubor ond llwyddodd i atal ei hun rhag gwneud.

"Ac yn siglo fel hyn," dwedodd Siencyn, gan symud o un ochr i'r llall yn wallgof. Dechreuodd y lleill chwerthin.

"Siencyn Hafod Ucha. Mor ddwl ag ariôd wy'n gweld."

Llais dyn y tu ôl iddynt. Richard Edwards, tad Nathaniel. Y tu ôl iddo roedd Nathaniel ei hun, yn syllu ar y llawr.

"Mi glywas sôn amdanat, Gethin o Lanfrynach," dwedodd Richard Edwards, yn ei astudio'n fanwl. Doedd Gethin ddim yn siŵr iawn beth i'w ddweud, felly estynnodd ei law. Gwenodd y dyn yn smala. "Tipyn o *gentleman*, on'd wyt ti?"

A gwnaeth sioe fawr o ysgwyd llaw Gethin, cyn troi at ei fab a dweud rhywbeth yn Saesneg. Ond roedd ei Saesneg mor wael, fe gywirodd Gethin e heb feddwl. Edrychodd tad Nathaniel arno'n syn.

"Me'r *gentleman* yn medru Saesnag!"

"Ydy. Ac yn well na chi!" dwedodd Guto.

Gwgodd Richard Edwards a cherdded bant a golwg flin ar ei wyneb, gyda Nathaniel yn ei ddilyn yn ufudd. Doedd y bachgen ddim wedi codi ei lygaid o'r llawr unwaith.

"Wyt ti wir yn medru Saesnag?" gofynnodd Ifan, wedi'i syfrdanu.

"Wrth gwrs, y twpsyn! Ti glywasd a!" chwarddodd Dafydd.

"Wyt ti hefyd yn medru darllan a sgrifennu?" mentrodd Siencyn.

"Ydw," atebodd Gethin, "ond mae bron pawb yn medru o'r lle wy'n dod."

Edrychodd y bechgyn arno gydag edmygedd, cyn ei dywys i ganol miri'r ffair. Wrth i'r bechgyn grwydro, roedd y lleill yn ysu i Gethin ddysgu ambell air o Saesneg iddyn nhw – yn cynnwys rhai geiriau drwg – ac yn chwerthin nerth eu pennau ar ba mor rhyfedd roedd y geiriau'n swnio.

Er cymaint o hwyl gafodd yn y ffair, trwy gydol yr amser roedd Gethin yn ceisio cael cip ar Catws trwy gil ei lygaid, ond doedd dim sôn amdani'n unman.

14

Roedd yr awyr yn hollol las, heblaw am un cwmwl gwyn yn uchel, uchel yn y ffurfafen, fel bys hir main yn pwyntio at rywbeth oedd yn bell, bell i ffwrdd ar y gorwel. Yn llygad yr haul, roedd y bryniau o'i gwmpas a'r dolydd islaw'n glytwaith gwyrdd, llachar. *Roedd y byd mor brydferth weithiau,* meddyliodd Gethin. A'r byd hwn yn arbennig felly. Roedd fel petai'n gweld y cyfan mewn lliw am y tro cyntaf, ar ôl arfer gweld popeth mewn du a gwyn. Erbyn hyn roedd wedi dysgu enwau'r coed a'r planhigion, yr adar a'r anifeiliaid oedd yn drwch yn y plwyf. Gwyddai bellach mai'r aderyn gododd ofn ar bawb wrth chwilio am foncyff y Nadolig oedd sgrech-y-coed, ac mai planhigyn oedd yr hesg yn yr enw Craig-yr-hesg: planhigyn tal gyda choesyn cryf a dail llydan.

Gydag anhawster, gorfododd Gethin ei hun i ganolbwyntio ar y dasg a roddwyd iddo, sef chwilio am un o ddefaid Nyth Brân oedd wedi mynd ar goll. Roedd Gethin a

Guto wedi bod yn bugeilio'r defaid ar y bryniau yn bell o'r fferm ac wedi treulio'r noson yn un o'r cytiau cerrig oedd i'w gweld hwnt ac yma ar hyd y topiau.

Adeiladau syml iawn oedd yr hafotai hyn ond yn weddol glyd serch hynny, ac yn sicr yn fwy cyfforddus na mentro cysgu o dan y sêr, oherwydd digon oer oedd y nosweithiau o hyd, er bod y diwrnodau wedi cynhesu.

Ar ôl troedio'r llethrau heb lwc, dyma Guto'n cynnig y dylent anelu at y tir corsog y tu hwnt i'r eglwys, gan rybuddio Gethin i fod yn ofalus gan fod yr ardal yn llawn o dyllau dwfn, peryglus. Roedd sawl anifail wedi diflannu yn y gors. Ac, yn ôl y sôn, ambell berson anlwcus hefyd. Doedd hyn ddim yn swnio fel syniad da iawn i Gethin ond doedd ddim eisiau dangos i Guto fod arno ofn.

Os oedd llethrau'r bryniau'n sgleinio yn yr haul, roedd y gors fel petai'n sugno'r heulwen a'i llyncu, oherwydd y cyfan a welai Gethin o'i flaen ar ôl iddyn nhw gyrraedd oedd erwau o dir di-liw, bygythiol yr olwg.

Yn sydyn, dyma nhw'n clywed sŵn fel rhywun yn crio, neu anifail yn brefu. Rhuthrodd Guto tuag at y sŵn a rhedodd Gethin ar ei ôl cystal ag y gallai. Tipyn o gamp oedd dilyn Guto ond y peth diwethaf roedd Gethin ei eisiau oedd cael ei adael yn y gors ar ei ben ei hun.

Gafr oedd yno, a honno'n sownd mewn twll yn y gors. A phwy oedd yn syllu arni mewn panig heb wybod beth i'w wneud ond Catws. Llamodd calon Gethin. Pan welodd Catws y bechgyn, fe gamodd hi 'nôl, fel petai'n disgwyl iddyn nhw ymosod arni hi. Cododd Gethin ei law, gan ddweud yn fyrbwyll:

"Paid poeni. Fe wnawn ni dy helpu."

Doedd Gethin ddim yn siŵr pwy oedd yn edrych y mwyaf syn, Guto ai Catws. Petai ganddo ddrych, fe fyddai Gethin wedi edrych arno'i hun yn syn hefyd. Beth ddaeth drosto yn cynnig gwneud y fath beth?

Roedd yn dechrau difaru'n barod, felly cyn iddo gael cyfle i feddwl gormod, syrthiodd Gethin ar ei liniau. Dwedodd wrth Guto am afael yn dynn yn ei sodlau, a dechreuodd ymlusgo ar ei fol tuag at yr afr, fel milwr.

Roedd yr afr i fyny at ei phengliniau yn y twll, a'i llygaid led y pen ar agor yn llawn ofn, ac yn brefu yn groch. Roedd y tir fel sbwng, a theimlodd Gethin ei hun yn dechrau suddo, ond o gadw ei gorff yn hollol wastad llwyddodd i gyrraedd yr afr. Roedd golwg druenus iawn arni ac roedd yn drewi'n ofnadwy, fel hen gaws wedi llwydo neu sanau pêl-droed wedi'u stwffio i waelod bag chwaraeon a'u hanghofio. Ceisiodd Gethin ei orau i anwybyddu'r drewdod wrth iddo afael yn dynn yn yr anifail a gweiddi ar Guto i'w dynnu 'nôl. Ond symudodd Gethin ddim centimetr. Na'r afr.

"Ti hefyd, Catws!" bloeddiodd Gethin.

Tynnodd Guto ar sawdl chwith Gethin, a Catws ar yr un dde, y ddau yn tuchan dan yr ymdrech. Gafaelodd Gethin yn dynnach fyth yn yr afr, nes bod ei freichiau'n brifo. Roedd hyn yn anobeithiol, meddyliodd. A'r eiliad honno, teimlodd Gethin ei hun yn symud tuag yn ôl yn araf bach, a'r afr yn ddiogel yn ei freichiau.

Unwaith roedd y tir yn fwy cadarn oddi tano, gollyngodd Gethin yr afr. Roedd yr anifail yn crynu. Cofleidiodd Catws hi a'i hanwesu.

"Usht, 'mechan i, 'mechan i," dwedodd Catws drosodd a throsodd, fel pe bai'n canu hwiangerdd wrth blentyn bach oedd yn methu cysgu.

Trodd Guto at Gethin a sibrwd bod y ddwy 'afr' mor flêr a drewllyd â'i gilydd. Rhoddodd Gethin benelin iddo yn ei ochr, a'i lygaid yn tasgu. Gwelodd Gethin ei fod wedi codi ofn ar Guto a'i frifo.

Cyn iddo gael cyfle i ymddiheuro dyma Catws yn ei gofleidio ef hefyd – er gwaetha'r ffaith nad oedd mewn cyflwr llawer gwell na'r afr druan.

"Diolch," dwedodd Catws yn swil, gan ofyn a fyddent yn hoffi dod 'nôl i'w chartref i gael rhywbeth i'w fwyta. Cytunodd Gethin yn syth, er ei fod yn medru gweld nad oedd Guto eisiau mynd o gwbwl.

~

Ddwedodd neb 'run gair wrth iddyn nhw gerdded trwy'r tir corsog i le roedd Catws yn byw. Roedd yr afr wedi peidio brefu ac yn dilyn Catws yn ufudd. Sylwodd Gethin fod Guto'n amheus iawn o Catws ac yn cadw pellter oddi wrthi. Ond doedd dim ofn yr afr ar Gethin rhagor – nac ofn Catws chwaith! Ceisiodd ddal ei llygaid i wenu arni. Wedi sawl tro aflwyddiannus, dyma Catws yn cilwenu'n ôl arno. Hanner gwên. Dim mwy. Ond roedd y wên fach honno'n werth y byd.

Ar ôl tua hanner awr fe gyrhaeddon nhw gartref Catws. Roedd dau blentyn bach o flaen y tŷ yn rhedeg ar ôl iâr, gan chwerthin yn afreolus.

"Y tacla drwg!" gwaeddodd Catws. Esgus dwrdio roedd hi, ond cafodd y plant fraw o glywed ei llais cras, ceryddgar, a hyd yn oed fwy o fraw o weld dau fachgen dieithr. Anghofion nhw bopeth am yr iâr a rhedeg mewn i'r tŷ.

Lle digon trist a llwm yr olwg oedd Rhydygwreiddyn. O'i gymharu â'r tyddyn hwn, roedd Nyth Brân, er mor ddi-nod, yn balas, meddyliodd Gethin. Sylweddolodd Gethin mai tŷ pridd oedd hwn, yr un fath ag yn enw gwreiddiol Pontypridd. Amneidiodd Catws arnyn nhw i'w dilyn hi mewn i'r tŷ.

"Well i ni beidio," sibrydodd Guto wrth Gethin, gan ychwanegu: "Falle ddown ni ddim 'nôl mês yn fyw."

"Paid bod yn ddwl. Dere," dwedodd Gethin, ychydig yn rhy uchel, gan dynnu sylw Catws at y ffaith fod rhywbeth yn mynd ymlaen. Ond ysgwyd ei ben yn styfnig wnaeth Guto, gan aros yn ei unfan.

Trodd Gethin at Catws. "Does dim eisiau bwyd ar Guto."

Dechreuodd Gethin gerdded at y tŷ. Cafodd wên fach arall gan Catws, fel diolch am geisio peidio brifo ei theimladau. Roedd yn amlwg bod Catws yn gwybod yn iawn pam nad oedd Guto eisiau croesi trothwy'r tŷ.

Roedd y tu mewn hyd yn oed yn fwy llwm na'r tu allan ac yn dywyll, fel petai rhywun wedi tynnu'r llenni'n dynn. Ond doedd dim rhaid gwneud hynny i gau'r haul allan oherwydd dim ond un ffenest fach oedd yn y tŷ, a honno heb wydr. Roedd trwyn Gethin yn cosi oherwydd y mwg oedd yn llenwi'r stafell a thrawodd gwynt sur ei ffroenau – rhywbeth yn debyg i ledr neu'r chwisgi roedd Gransha'n ei yfed weithiau. Wrth i'w lygaid ymgyfarwyddo â'r golau gwan a'r mwg, fe welodd y ddau blentyn bach yn rhythu arno'n amheus o dan y groglofft, a dynes yn plygu dros grochan bychan oedd yn hongian dros dân mawn gwan.

"Mam, dyma Gethin. Êth yr afr i'r gors. Gethin achubws hi."

"Bendith Duw arnat, 'machgan i," dwedodd mam Catws, gan wenu arno'n garedig, cyn troi ei sylw 'nôl at beth bynnag oedd yn y crochan.

Rhoddodd Catws ddarn o fara ceirch iddo, gan estyn bowlen bren yn llawn diod o ryw fath. "Llêth gafr," esboniodd.

Cododd Gethin y bowlen i'w geg. Roedd gwynt hen sanau ar hwn hefyd, yn union fel yr afr. Doedd ddim eisiau pechu Catws felly llyncodd Gethin y llaeth yn gyflym. Roedd yn syndod o dda. A chymerodd lwnc arall. Chwarddodd Catws. Sylweddolodd Gethin fod ganddo fwstàsh llaeth, a sychodd ei wefusau. Heb rybudd, rhoddodd Catws gusan iddo ar ei foch. Teimlodd Gethin ei hun yn gwrido, a gallai daeru iddo weld mam Catws yn cilwenu iddi'i hun. Chwarddodd Catws eto, gan ddangos rhes o ddannedd gwyn perffaith, fel perlau – yn fwy hynod a phrydferth fyth am fod popeth arall amdani mor flêr.

~

Roedd chwerthiniad heintus Catws yn dal i atsain ym mhen Gethin wrth i yntau a Guto gerdded yn ôl i gyfeiriad yr hafoty. Doedden nhw ddim wedi torri gair ers gadael cartref Catws. O gil ei lygad, gwelodd Gethin fod Guto'n ceisio dal ei sylw. Ond fe'i hanwybyddodd.

"Sut le o'dd yno, felly?" gofynnodd Guto, yn methu dioddef y tawelwch rhyngddynt dim mwy.

"Taset ti wedi dod mewn, byddet ti'n gwbod," atebodd Gethin yn swta, gan ychwanegu: "Beth yn y byd o't ti'n ddisgwyl i'w weld yn y tŷ? Pen y diafol?"

Cerddodd Gethin ymlaen, gyda Guto'n ei ddilyn yn benisel. Roedd yn amlwg i Gethin fod Guto yn bryderus iawn ei fod wedi digio ei ffrind, ac fe feddalodd.

"Cyn belled dy fod yn fodlon derbyn Catws fel ffrind, a ddim yn gwneud hwyl am ei phen *hi* na'i *theulu* am fod yn wahanol, fe wna i faddau i ti."

"Gwnêf. Wy'n addo," dwedodd Guto, a chywilydd yn ei lais.

Daeth yr hafoty i'r golwg. Roedd y praidd yn pori'n hapus gerllaw. Ac roedd y ddafad golledig 'nôl yn eu mysg. Dechreuodd Guto ymlacio ac adrodd yr hanes o sut y bu raid iddo unwaith achub – nid gafr – ond Ifan Blaenhenwysg wedi i hwnnw fynd yn sownd mewn coeden ar ôl dringo'n rhy uchel. Gwenodd Gethin a chwerthin yn y mannau cywir. Ond gwrando gydag un glust yn unig oedd e go iawn. Roedd Gethin yn dal i ryfeddu iddo fod digon dewr i achub yr afr, a pheryglu ei fywyd ei hun yn y broses. Byddai'r hen Gethin byth wedi gwneud hynna.

Byth bythoedd.

15

Fyddai'r hen Gethin byth wedi rhoi tacl rygbi i ddafad chwaith, a'i llusgo mewn i'r pwll islaw rhaeadr Pistyll Golau i'w golchi. Roedd Guto a'r lleill yno hefyd – yn cynnwys Catws, ar gais Gethin – yn helpu'r dynion i olchi'r defaid cyn cneifio. Roedd y dynion oedd yn sefyll yn yr afon yn gafael ym mhob dafad a'u hyrddio 'nôl a 'mlaen trwy'r dŵr cyn eu pasio at rywun arall ar y lan, a fyddai yn ei dro'n gafael yn dynn yn y ddafad ac yn ceisio gwasgu cymaint o'r dŵr allan o'r gwlân â phosib gyda'i freichiau.

Yn sydyn, dihangodd dafad o'r afon. Neidiodd Gethin amdani a llusgo hon eto at y dŵr.

"Dacw fa, Arwr y Gors!" gwaeddodd un o'r dynion.

"Mistar corn ar ddefaid hefyd, yn ogystal â geifr!" gwaeddodd rhywun arall. Chwarddodd y ffermwyr a'r gweision. Doedd dim ots gan Gethin. Roedd y dynion byth a beunydd yn tynnu ei goes ac yn ei alw'n bob math o enwau gwirion. Roedd pawb ym mhlwyf Llanwynno – a thu hwnt – erbyn hyn wedi clywed am ddewrder Gethin, diolch i Guto.

Wrth i'r hanes ledaenu, roedd pawb a'i clywodd wedi ychwanegu rhyw fanylyn bach ei hun at y stori, a'i haddurno. Aeth un afr yn ddwy ac yna'n dair, a chyn pen dim yn hanner dwsin – a Gethin, yn ôl y sôn, wedi nofio drwy lyn yn llawn llysnafedd, gan ymladd yn erbyn bwystfilod y gors i'w hachub, a'u cario 'nôl fesul tair ar bob braich. Nonsens llwyr, wrth gwrs, a doedd neb yn credu hynny go iawn. Ond ddwedodd Gethin ddim byd wrth glywed yr hanesion yma. Peth braf oedd cael ychydig o sylw am unwaith. Roedd Gethin wedi cael tipyn o glod gan rieni Guto am achub yr afr hefyd. Er eu bod ychydig yn amheus o grefydd teulu Catws, roedden nhw'n gytûn nad oedd 'bai ar y grotan'.

Ar ôl i'r defaid gael eu golchi, bu Dafydd yn ddigon dwl i wneud sylw am grefydd Catws, a chafodd ei hyrddio i'r llawr ganddi am ei drafferth. Roedd Catws yn feistres ar ymaflyd codwm, hen gamp oedd yn rhyw fath o gymysgedd o reslo a jwdo. Ei brawd, Gwilym, oedd wedi'i dysgu, cyn iddo farw o'r frech goch yn ddeuddeg oed. Camodd Catws i'w sgidiau a chymryd gofal o'r geifr. Roedd cryfder – a thymer – Gwilym yn ddiarhebol Ond, os rhywbeth, roedd mwy o ofn Catws ar y lleill na'i brawd hŷn, hyd yn oed.

Chwarddodd y bechgyn eraill wrth weld Dafydd yn un swp ar y llawr.

"Fasa'r un ohonoch chi ddim gwell, y bwmbwliaid!" dwedodd Dafydd yn flin, a'i falchder wedi'i frifo gymaint â'i gefn.

"Ie. Dewch. Wy'n barod," dwedodd Catws. Ond fentrodd neb.

"Beth amdanat ti, Gethin?" gofynnodd, gan ei herio gyda'i llygaid tywyll.

Doedd dim awydd ar Gethin gael ei luchio i'r llawr yn ddiseremoni, ond doedd ddim eisiau ymddangos yn ofnus chwaith. Yn enwedig o flaen Catws. Felly camodd ymlaen, er syndod i'r bechgyn eraill.

Gafaelodd Catws yn ei grys a dweud wrtho afael yn ei gwisg hithau, a cheisio ei thynnu neu ei baglu i'r llawr. Ceisiodd Gethin ei orau ond roedd Catws fel 'slywen. Byddai wedi bod yn haws ceisio dal gafael ar ddarn o sebon. Ar ôl i Gethin ei thynnu a'i gwthio am ychydig, dyma coes dde Catws yn saethu o dan goes chwith Gethin, a'r peth nesaf roedd ar ei gefn ar y llawr.

"Weli di! Dwyt ti ddim gwell!" chwarddodd Dafydd. Cododd Gethin. Yn lle ymuno â'r bechgyn, camodd tuag at Catws.

"Eto," dwedodd, yn benderfynol. A dyma gychwyn arni am yr eilwaith. Yr un oedd y canlyniad. A'r tro nesaf. A'r tro wedi hynny. Ond yn lle rhoi'r ffidl yn y to, dyma Gethin yn dyfalbarhau, er bod ei gefn a'i goesau'n gleisiau byw. Pan synhwyrodd fod Catws yn dechrau blino, daeth rhyw nerth o rywle, fel y Nos Galan honno y dihangodd rhag Nathan a Cai, a llwyddodd i'w thaflu i'r llawr. Disgynnodd tawelwch llethol. Estynnodd ei law ati i'w chodi.

"Gobeithio wnes i ddim dy frifo di," dwedodd Gethin. Gafaelodd Catws yn dynn yn ei law, fymryn yn rhy hir. Ond sylwodd y lleill ddim. Roedden nhw'n dal mewn gormod o sioc.

"Nêddo. Dim o gwbwl," atebodd Catws, cyn rhwbio ei chefn, a gwenu arno'n swil.

~

Gan i'r tywydd fod mor garedig, roedd y defaid yn barod i'w cneifio cwta ddeg diwrnod yn unig ar ôl eu golchi. Roedd hi wedi bod yn wanwyn a haf da, yn wahanol iawn i'r blynyddoedd llwm ychydig yn ôl, lle bu caledi a newyn. Roedd y cnydau wedi llwyddo a'r anifeiliaid wedi cael llond eu boliau o borfa. Byddai digonedd o fwyd ar gyfer pawb yn yr hydref a thrwy gydol y gaeaf. Roedd Guto a'r lleill yn bendant erbyn hyn mai presenoldeb Gethin yn y plwyf oedd yn gyfrifol. Ac er ei fod yn gwybod y dylai brotestio, roedd Gethin, yn dawel bach, yn mwynhau'r sylw'n ormodol i'w wrth-ddweud.

Daeth pawb at ei gilydd eto ar fferm Daerwynno. Ar ôl y cneifio cafwyd pryd da o gawl, ac ar ôl y cawl, dyma ddechrau ar yr hanesion. Ffefryn Gethin oedd yr hanes am Gadwgan Fawr, a gododd yn erbyn y Normaniaid ac a'u trechodd rhwng Creigiau a Phen-tyrch. Hoff arf Cadwgan oedd bwyell, ac o'r herwydd roedd hefyd yn cael ei alw'n Cadwgan y Fwyell. Roedd ysbryd Cadwgan yn dal i grwydro Blaenau Morgannwg, yn barod i ddefnyddio ei arf miniog eto ar ran y werin bobl.

"Drueni na fydda Cadwgan yn defnyddio ei fwyall yn erbyn Richard Edwards," dwedodd Guto, a chwarddodd pawb.

Er cywilydd i Gethin, bu rhaid iddo ddarllen yn uchel o almanac Thomas Jones – rhyw fath o flwyddlyfr oedd yn cynnwys pob math o newyddion, gwybodaeth amaethyddol a phenillion – am fod Guto wedi bod yn ymffrostio ei fod yn medru darllen. Er bod yr iaith yn hen ffasiwn ac anghyfarwydd, chafodd Gethin ddim trafferth, a chanodd llawer ei glodydd.

"Mae Gethin yn medru Saesnag hefyd!" dwedodd Guto'n falch.

Os oedd y dynion wedi synnu ar allu Gethin i ddarllen yn uchel o'r almanac, roedden nhw'n rhyfeddu ar ei allu i siarad yr iaith fain, ac yn mynnu ei fod yn adrodd hanes Cadwgan yn Saesneg i weld faint y bydden nhw'n medru deall. Dim llawer oedd yr ateb, achos dim ond un ffermwr oedd yn medru dweud mwy nag ychydig o eiriau yn Saesneg.

"Pa werth yw'r Saesnag beth bynnag?" dwedodd un o'r gweision.

"Tasat ti eisia gwitho 'da Saeson Wmffre Mackworth tua Chastell-nedd, bydda'n rhaid i ti," oedd yr ateb gafodd gan berchennog Daerwynno.

"Pam fyswn i isha gwitho yn y gweithfeydd glo neu yn toddi copr pan mae'r wlêd o'n cwmpas mor brydfarth?" holodd y gwas.

Cytunodd y lleill mai dim ond ffŵl fyddai'n symud mor bell o'i gynefin, ac nad oedd llawer o ddyfodol i'r gweithfeydd peryglus, budr hyn. Roedd pawb hefyd yn hollol gytûn mai dim ond Cymraeg fyddai'n cael ei glywed ar hyd bryniau a chymoedd Morgannwg am ganrifoedd i ddod. Ddwedodd Gethin yr un gair, ond roedd yn gwybod nad fel hyn y byddai hi go iawn. Tybed sut fyddai trigolion Llanwynno yn teimlo am hynny?

Roedd y lleuad yn uchel yn yr awyr erbyn i'r diddanwch ddod i ben. Roedd Guto eisiau mynd i fyny Cefn Gwyngul i chwilio am gwningod ond mynnodd Gethin eu bod yn hebrwng Catws adref yn gyntaf am nad oedd ei chartref yn rhy bell o'r fferm.

"Ti yw'r mistar," dwedodd Guto dan wenu.

A sylweddolodd Gethin, heb gymaint â hynny o syndod, mai fe oedd arweinydd y criw yma o ffrindiau bellach.

16

Roedd Gethin wedi dechrau crwydro yr ardal ar ei ben ei hun o dro i dro, heb gwmni Guto. Er cymaint o hwyl oedd i'w gael yng nghwmni Guto a'r lleill, weithiau roedd Gethin angen llonydd. Doedd dim preifatrwydd o gwbwl yn y tŷ.

Y diwrnod hwnnw, roedd Gethin wedi bod yn cerdded yn ddigyfeiriad, yn meddwl am hyn a'r llall, cyn sylweddoli ei fod yn anelu at fferm Graig Wen, oedd yn agos at goed Craig-yr-hesg lle glaniodd o'r dyfodol rhyw saith mis ynghynt. Heb wybod pam yn union, daeth rhyw ysfa drosto i fynd i mewn i'r goedwig.

Doedd heb fod ar gyfyl y lle ers Nos Galan Gaeaf. Roedd pobl, ar y cyfan, yn dueddol o osgoi'r fforestydd heblaw eu bod yn mynd yno i hela neu i gasglu coed. Llefydd yn llawn dirgelwch a pheryglon oedd y rhain o hyd i'r rhan fwyaf o'r trigolion, er gwaethaf geiriau'r offeiriad i'r gwrthwyneb – llefydd lle roedd lladron, ysbrydion a phethau dychrynllyd eraill yn cuddio.

Pethau fel y tylwyth teg, neu fechgyn o'r dyfodol, meddyliodd Gethin gan wenu. Cerddodd mewn i'r goedwig yn eithaf sionc. Ond, o fewn ychydig, roedd wedi arafu ei gam. Roedd yn dawel, dawel yno, fel petai popeth yn sibrwd, hyd yn oed y coed, a doedd ddim eisiau tarfu drwy wneud gormod o sŵn. Wrth iddo gripian yn ddyfnach i'r goedwig ar flaenau'i draed, sylwodd ar y glasbrennau – y coed ifanc – yn gwthio tuag at y golau, yn cystadlu am le. Yna gwelodd gwningen yn crogi mewn magl, ei llygaid led y pen ar agor, yn edrych yn syth ato. Aeth ati i'w hachub, cyn sylweddoli nad oedd y llygaid yn gweld dim, a'i bod wedi marw. Rhaid bod rhywun yn hela yma ac wedi gosod y fagl yn ddiweddar iawn, achos roedd y gwningen yn dal yn gynnes.

Dechreuodd Gethin deimlo'n anesmwyth, fel petai rhywun yn ei wylio, yn union fel y tro hwnnw pan oedd yn chwilio am foncyff ar gyfer y Nadolig. Penderfynodd y byddai'n well gadael y goedwig, rhag ofn. Ond yna sylweddolodd nad oedd syniad ganddo lle roedd y goedwig yn dechrau nac yn gorffen a'i fod ar goll rhywle yn y canol. Yn sydyn, clywodd lais yn ei alw. Llais mawr yn atseinio drwy'r coed:

"Gethin Tan-y-graig!"

Rhewodd Gethin yn ei unfan. Edrychodd o'i gwmpas, ond doedd neb i'w weld.

"Mi glywas lawar amdanat," taranodd y llais eto. Craffodd

Gethin i gyfeiriad y llais. Siglodd coeden o'i flaen, a daeth hen ddyn talsyth i'r golwg. Roedd ganddo farf wen, hir a het ffelt werdd ar ei ben. Roedd rhywbeth cyfarwydd am y dyn, er mor od ei olwg.

"P-p-pwy y'ch chi?" gofynnodd Gethin yn betrusgar, unwaith iddo ddod o hyd i'w lais.

"Mae sawl enw'n perthyn imi, ond cei fy ngalw'n Hen Ŵr y Coed." Cerddodd y dyn tuag at Gethin. "Unwaith roedd y tir yn garped o goed, tan i ddynion eu dymchwel at eu dibenion eu hunain. Roedd y llethrau hyn yn un fforest fawr tan i'r rhan fwyaf gael eu torri a'u llosgi i wneud siarcol. Ond daw gwaeth. Llawer gwaeth. Mi fydd y coed yn diflannu'n llwyr o'r dyffrynnoedd, a'r afonydd yn llifo'n ddu gan lwch y glo."

Gwyddai Gethin fod hyn yn wir. Dyna ddigwyddodd adeg y Chwyldro Diwydiannol. Ac er bod pethau llawer gwell erbyn hyn, roedd Gethin yn ymwybodol iawn fod pobl dal i fod yn esgeulus o'r amgylchedd.

"Ond sut y'ch chi'n gwybod?" gofynnodd Gethin.

"Os gwrandawi yn ddigon astud fe glywi'r dail yn siffrwd y gwirionedd ar y gwynt. Mi glywas hefyd nad wyt ti o'r byd hwn. A dy fod mewn perygl. Bydd clycha Eclws Wynno yn canu cyn bo hir. A byddi ditha yn gorwedd ym mynwent yr eclws ym mhen blwyddyn ... os nê wnei di ddianc."

"Beth y'ch chi'n feddwl?" gofynnodd Gethin eto, y tro hwn yn fwy pryderus fyth. Ond roedd Hen Ŵr y Coed wedi diflannu. Dim ond y pryd hynny sylweddolodd Gethin pwy roedd y dyn rhyfedd yma yn ei atgoffa ohono: Gransha.

~

Bu geiriau'r hen ŵr yn gwasgu ar Gethin am ddiwrnodau. Un bore, roedd yn poeni gymaint doedd arno ddim awydd bwyta brecwast o gwbwl. Sylwodd mam Gethin a mynnu ei fod yn aros adref. Doedd dim gormod o ots gan Gethin, gan nad oedd hwyliau arno i wneud llawer p'run bynnag. Cynigiodd sgubo'r llawr ar ei rhan, a chytunodd hi ar yr amod y byddai Gethin yn rhoi'r gorau iddi petai'n blino.

Roedd y gwaith yn undonog ond yn lleddfu'r amheuon oedd yn ei gnoi, ac felly roedd Gethin yn teimlo ychydig yn well ar ôl sbel – nes i fam Guto ddechrau gweiddi.

"Neno dyn! Mês â thi!"

Cafodd Gethin dipyn o fraw. Beth yn y byd oedd wedi'i wneud o'i le?

"Mês!" gwaeddodd eto, yn fwy taer fyth. Heb rybudd, cipiodd mam Guto yr ysgub o'i ddwylo. Am eiliad, roedd Gethin yn ofni ei bod yn mynd i'w daro, cyn sylweddoli mai gweiddi ar aderyn oedd wedi hedfan i mewn i'r ty roedd hi. Un o deulu'r brain. Nid jac-y-do neu frân dyddyn, ond clamp o gigfran fawr a phlu hir ei gwddf a'i phig miniog yn gwneud iddi edrych yn fygythiol tu hwnt.

Sgubodd mam Guto yr awyr, gan anelu i gyfeiriad y gigfran. Gyda 'chronc' cras, hedfanodd yr aderyn 'nôl allan.

"Diolch i'r drefn!" ebychodd mam Guto â rhyddhad, cyn syrthio ar ei gliniau a gwneud arwydd y groes drosodd a throsodd, gan sibrwd rhyw fath o weddi hynafol na allai Gethin ei deall yn iawn.

Ar ôl iddi ddod ati'i hunan, esboniodd mam Guto wrtho fod cael aderyn yn hedfan i mewn i'r tŷ yn dod ag anlwc mawr, a dyna pam iddi erfyn ar y Forwyn Fair a'r holl seintiau i'w hachub. Ac yn waeth na dim, roedd brân yn symbol o farwolaeth, a dyna pam iddi gael gymaint o fraw.

"Ond os byth weli frân wen," ychwanegodd, "rhed am dy fywyd. Negesydd o'r byd arall yw a. Does dim terfyn ar ddrygioni'r aderyn hwnnw."

"Fydd y weddi'n gweithio?" gofynnodd Gethin yn bryderus, gan gofio pig miniog y gigfran.

"Cawn weld, 'machgan i. Cawn weld."

~

Diwrnod cyntaf Awst oedd hi ac roedd Gethin yn rhoi'r bwyd i'r moch ddiwedd y prynhawn pan glywodd glychau'r eglwys yn canu yn araf ond yn bendant. Rhewodd yn ei unfan. Dyma'r clychau felly'n canu cnul, yn union fel dwedodd yr hen ŵr. Roedd canu o'r fath yn golygu bod rhywun wedi marw, ond dyma'r tro cyntaf i Gethin eu clywed ganol y prynhawn. Gwelodd tad Guto'n cerdded tuag ato.

"Y Frenhinas Anne, dybiwn i," dwedodd tad Guto, gan ymgroesi.

"Cawn glywad yn ddigon buan. Tydi angau'n ofni neb, 'machgan i, ddim hyd yn oed y teulu brenhinol."

Ymunodd mam Guto â nhw. Roedd ei bochau cochion yn hollol welw. "Y gigfran. Hi wetws wrthon ni," sibrydodd, yn llawn ofn. Rhoddodd tad Guto ei fraich amdani.

"A fydd terfysg neu ryfel?" gofynnodd hi.

"Os bydd, byddwn yn ddiocel yma," dwedodd y tad.

"Hoffwn i fynd i'r eclws i weddïo dros ei henaid ac i erfyn am ras Duw i ni oll."

Aeth Gethin gyda hi'n gwmni. Dyma'r tro cyntaf iddo fod

ar ei ben ei hun gyda mam Guto ers sbel. Gwelodd Gethin ei bod wedi dechrau crio. Rhoddodd ei fraich amdani, fel y gwnaeth tad Guto, gyda'r gwahaniaeth ei fod yn llawer byrrach na'i gŵr, wrth gwrs, a phrin yn cyrraedd at ei hysgwyddau. Gwenodd hi arno trwy ei dagrau.

"'Machgan glên i."

Roedd Gethin yn falch o fedru bod yn gysur iddi. Wedi'r cwbwl, roedd fel mam iddo bellach.

~

Y noson honno, deffrôdd Gethin mewn chwys oer. Roedd y clychau wedi dechrau canu cnul eto. Dong. Dong. Dong. Ond y tro hwn, nid ar gyfer y frenhines roedd y clychau'n cnulio ond ar ei gyfer e. Clustfeiniodd. Dim smic. Dim ond sŵn y teulu yn anadlu. Rhaid ei fod wedi breuddwydio. Yn y tywyllwch, clywodd eiriau Hen Ŵr y Coed yn sisial yn ei glustiau, yn ei rybuddio ei fod mewn peryg.

Ond ar ôl wythnos, roedd y byd yn dal i droi. Roedd brenin newydd ar yr orsedd a doedd Gethin heb fynd yn sâl na chael damwain na dim byd felly. A phan soniodd wrth Guto am broffwydoliaeth Hen Ŵr y Coed, chwerthin wnaeth ei ffrind.

"Paid gwrando ar ddim mae'r gwallgofddyn yna yn ei ddweud. Fi wetws wrthot ishws taw hen greatur truenus yw a. Tomos Tyddyn Uchaf yw ei enw fa. Aeth o'i go' pan bu farw ei deulu rhyw aeaf caled blynyddoedd yn ôl – ymhell cyn imi gael fy ngeni."

Gwallgofddyn ai peidio, doedd dim dwywaith nad oedd yr hen ŵr wedi rhagweld y byddai clychau'r eglwys yn canu cnul. A beth am y gigfran? Arwydd drwg, neu ddigwyddiad heb ystyr? Os mai hen ddyn wedi ffwndro oedd y Tomos yma, efallai mai cyd-ddigwyddiad oedd y cyfan.

Doedd Gethin ddim eisiau ystyried dianc, hyd yn oed os byddai'n gwybod sut. Roedd ganddo deulu cyflawn a llond criw o ffrindiau da. Er gwaethaf yr holl galedi corfforol, a'r bwyd undonog, diflas – *o, am becyn o sglodion!* – roedd yn hapus yma. Yn fwy hapus nag yr oedd wedi bod erioed.

17

"Rh-ys! Rhy-ys! Rhy-ys!" gwaeddodd Gethin a'i ffrindiau gan glapio eu dwylo, a Catws yn fwy brwdfrydig na neb. Gwenodd Rhys, brawd hynaf Ifan Blaenhenwysg, a chodi ei law.

Ar arwydd un o'r ffermwyr, dechreuodd Rhys – a phedwar o ddynion ifanc eraill – dorri'r gwair crin oedd yn drwch ar y cae. Yn ei plith roedd Ianto, gwas Richard Edwards, a golwg benderfynol iawn ar ei wyneb greithiog. Cystadleuaeth oedd hon i weld pwy fyddai'r 'gweirwr' gorau, sef pwy fyddai'n medru torri'r gwair gyflymaf a'i osod yn y modd mwyaf taclus gan ddefnyddio dim ond cryman – rhyw fath o gyllell ar siâp hanner cylch.

I'r bobl ifanc, dyma oedd uchafbwynt y cyfnod 'cymorth' arbennig hwn – un o'r adegau yn y flwyddyn, fel y cyfnod cneifio, lle roedd pawb yn dod at ei gilydd i gydweithio a chael hwyl wedyn ar ddiwedd y dydd. Roedd Gethin wedi gwneud mwy na'i siâr o ladd gwair dros yr haf ac wedi cael dipyn o ganmoliaeth am ei fod mor weithgar. Roedd newydd ddathlu ei ben-blwydd yn bedair ar ddeg oed ac yn weddol siŵr ei fod bellach wedi pasio'r un metr pum deg centimetr o'r diwedd, er nad oedd ganddo fodd o fesur ei daldra yn gywir. Roedd ei gorff yn dechrau newid, ac roedd yn magu cyhyrau.

Roedd y gystadleuaeth hefyd yn gyfle i'r ffermwyr fetio ar bwy fyddai'n ennill, ac roedd llawer iawn o arian yn y fantol. Rhys oedd yn y blaen ers y cychwyn cyntaf, o drwch blewyn. Dim ond un gwrthwynebydd o ddifri oedd ganddo, ac Ianto oedd hwnnw. Roedd Richard Edwards mor siŵr o'i ddyn nes ei fod wedi betio swm sylweddol arno i ennill.

Swish. Swish. Swish. Roedd crymanau'r cystadleuwyr yn hisian ac yn disgleirio yn yr haul. Cael a chael oedd hi rhwng Rhys ac Ianto o hyd, ond roedd Rhys â'i drwyn, neu â'i gryman, fymryn ar y blaen. Dechreuodd y bwlch rhyngddynt agor yn araf.

Yn ddirybudd, torrodd cryman Rhys yn ddarnau. Aeth pawb yn dawel. Heb wybod i neb, yn gynharach roedd Richard Edwards wedi torri hollt yng ngharn bren cryman Rhys er mwyn gwneud yn siŵr mai ei ffefryn e, Ianto, fyddai'n ennill ac yn ei alluogi i hawlio'r holl arian oedd yn gronfa. Yn fonheddig i gyd, dyma Richard Edwards yn cynnig cryman arall i Rhys. Diolchodd Rhys iddo cyn mynd ati fel lladd nadroedd i dorri'r gwair.

"Rhy-ys! Rhy-ys! Rhy-ys!" gwaeddodd Gethin a'r lleill, hyd yn oed yn uwch. Ond roedd Richard Edwards, yn gyfrwys iawn, wedi sicrhau nad oedd awch i lafn y cryman a roddodd i Rhys, a doedd dim gobaith ganddo mewn gwirionedd o fod yn gyflymach nag Ianto. Er i Rhys wneud ei orau glas, gorffennodd Ianto o'i flaen ac ennill yr ornest.

Am siom! Ond roedd Richard Edwards wrth ei fodd, wrth gwrs. Ac Ianto, oedd yn chwys domen, yn edrych draw yn gam ar Gethin a'r lleill oedd wedi bod yn cefnogi Rhys mor frwd. Wrth i Richard Edwards ac Ianto longyfarch ei gilydd, dyma Rhys yn dangos y cryman a gafodd gan y sgweiar i'r ffermwyr eraill. Daeth yn amlwg nad oedd y cryman yn finiog o gwbwl. Roedd y ffermwyr eraill yn gandryll.

"Bwwww! Cafflwr! Cena! Cnêf!" gwaeddodd Gethin a'r criw, unwaith iddynt ddeall beth oedd wedi digwydd. Chwerthin wnaeth Ianto, gan ddangos rhes o ddannedd cam – mor gam â'i wên sbeitlyd. Roedd Ifan wedi gwylltio gymaint rhedodd at Richard Edwards a cheisio rhoi cic iddo, ond fe wnaeth Rhys ei atal mewn pryd.

"'Mrawd enillws, nace Ianto! 'Mrawd!" bloeddiodd Ifan.

"Nace, Ifan bêch. Ianto enillws," mynnodd Richard Edwards, "ond os oes rhywun mofyn colli rhacor o arian mewn gornest arall – hei lwc i chi," ychwanegodd, gyda gwên wawdlyd, cyn pocedu'r arian.

~

Roedd agwedd sarhaus Richard Edwards yn dân ar groen pawb, gan gynnwys Gethin a'i ffrindiau. Yn y diwrnodau wedi hynny, roedd tipyn o grafu pen sut i dalu'r pwyth yn ôl a dial arno. Cafodd Gethin syniad wrth iddo gerdded caeau Nyth Brân gyda Guto a'i weld yn gorfod rhedeg ar ôl llo oedd wedi dianc trwy un o'r cloddiau, a'i ddal yn rhwydd. Wrth gwrs! Beth am i Guto herio Richard Edwards i ras draws gwlad? Doedd Guto ddim yn rhy siŵr. Wedi'r cwbwl, er ei fod yn medru rhedeg yn gyflym, a fyddai'n medru curo oedolyn? Ond ar ôl i Gethin addo y byddai'n ei hyfforddi a dysgu cyfrinachau'r 'tylwyth teg' iddo, cytunodd Guto. Celwydd golau oedd hyn; mewn gwirionedd, beth roedd Gethin am wneud oedd defnyddio'r hyn roedd wedi dysgu am ddulliau hyfforddi yn ei gylchgronau rhedeg.

~

Roedd cŵn hela Richard Edwards yn creu gymaint o sŵn, cafodd gryn anhawster i glywed beth roedd gan Gethin a Guto i'w gynnig. Roedd Ianto'n hofran gerllaw, a gwaeddodd Richard Edwards arno i dawelu'r helgwn. Sleifiodd Ianto i ffwrdd, gan rythu ar y bechgyn yn ddrwgdybus. Crafodd Richard Edwards ei ben, yn ystyried cyn cytuno.

"Iawn. Os colla i, chi gewch fy muwch orau. Beth gynigwch i mi?" Doedd Gethin na Guto'n gwybod beth i'w ddweud. Doedden nhw ddim wedi meddwl am hyn. Roedd yn amhosib cynnig rhywbeth heb drafod y peth gyda tad Guto'n gyntaf.

"Gethin, fasat ti'n cytuno i ddod i weithio imi fel gwês?" gofynnodd Richard Edwards.

"Byddwn," atebodd Gethin, heb betruso.

Edrychodd y dyn yn syn arno.

"Mi wyt ti'n siŵr iawn o dy betha, 'machgan i."

Ddwedodd Gethin ddim byd, dim ond gwenu, ac estyn ei law i Richard Edwards ei siglo. Y tro hwn, soniodd y dyn ddim byd am Gethin yn ymddwyn fel *gentleman*. Roedd hyder Gethin wedi'i siglo. Heb ddweud mwy, aeth Richard Edwards 'nôl mewn i'w dŷ crand. Trodd Guto at Gethin.

"Wyt ti'n siŵr fod ti'n gwpod be ti'n gwneuthur?" gofynnodd yn betrusgar.

"Ydw," atebodd Gethin. Roedd gan Guto dalent ryfeddol. Doedd Guto ei hun ddim yn sylweddoli hyn eto. Doedd neb. Heblaw Gethin.

~

Syrthiodd Guto i'r llawr yn un swp chwyslyd, ei geg yn agor a chau fel pysgodyn aur wedi'i gipio o'i bowlen a'i daflu i'r neilltu. Estynnodd Gethin ddiod iddo. Llowciodd Guto'n awchus, cyn crymanu a thaflu i fyny'n syth.

"Beth ... wneuthot i fi ... wy'n marw ..." cwynodd Guto, a'i wyneb yn troi'n biws.

"Byddi di'n iawn yn y funud. Llwyddest ti i wneud deg tro hyn," dwedodd Gethin yn falch.

Roedd wedi dyfeisio rhaglen ymarfer drwyadl iawn ar gyfer Guto, gan ddefnyddio rhai o'r technegau diweddaraf. Un o gas bethau Guto oedd gorfod rhedeg nerth ei goesau i fyny llethr serth sawl gwaith ar ôl ei gilydd, gyda dim ond ychydig o hoe rhwng pob tro. I gychwyn, dim ond pum gwaith llwyddodd Guto i gwbwlhau'r dasg. Erbyn hyn, roedd yn medru gwneud dwbwl hynny. Ac er bod Guto'n cwyno, roedd Gethin yn hyderus y byddai'n talu ar ei ganfed.

"Dyna ddigon am heddi," cyhoeddodd Gethin.

"Diolch i'r drefn," dwedodd Guto, gan lusgo ei hun i'w draed.

"Barod?" gofynnodd Gethin.

"Barod," atebodd Guto, cyn gweiddi: "Un. Dau. Tri!"

Hyrddiodd Guto ei hun i lawr y llethr, a Gethin yn dynn ar ei sodlau. Roedd y gallu o redeg i lawr rhiw yn gywir – a heb faglu – yn dipyn o grefft ac yn un bwysig, ac yn llawer mwy pleserus na rhedeg i fyny. Ond yn fwy peryglus hefyd. Ar y dechrau roedd Gethin yn ofalus iawn wrth ddilyn Guto. Erbyn hyn roedd wedi dysgu ymddiried yn ei gorff ac ymlacio'n llwyr.

"Wwwwiiiiii!" bloeddiodd Guto.

"Wwwooooww!" bloeddiodd Gethin hyd yn oed yn uwch, a'i goesau'n symud mor gyflym doedd e ddim yn medru eu teimlo. Gallai Gethin daeru ei fod yn hedfan. Llenwodd sŵn rhyfedd ei glustiau. Ai rhyw ddefaid oedd yn brefu yn orffwyll, neu haid o adar yn clegar yn llawn cyffro? Na. Yr hyn oedd yn llenwi ei glustiau oedd ei chwerthin afreolus ei hun: chwerthin heintus rhywun gwirioneddol hapus.

Roedd Gethin yn dal i chwerthin pan gyrhaeddon nhw afon Rhondda, a Guto hefyd erbyn hyn yn pwffian a phiffian – tan i'r dŵr daro ei goesau. Dyma ddiweddglo pob ymarfer i Guto, sef sefyll hyd ei gluniau yn yr afon, er mwyn adfer y cyhyrau'n gynt.

"Neno'r têd! Mae'r dŵr yn iasoer heddiw!" dwedodd Guto, a'i ddannedd yn rhincian.

"Cei di gysgu ar y domen yn y buarth heno eto. Wneith hynny dwymo dy gyhyrau," dwedodd Gethin. Roedd awyr iach y nos ynghyd â'r gwres yn treiddio'n araf i fyny drwy'r domen yn gyfuniad gwych er mwyn adfer y corff hyd yn oed yn well.

"Diolch yn fawr," dwedodd Guto yn goeglyd. Doedd Guto'n dal ddim yn deall pam roedd rhaid iddo gysgu ar y domen – pentwr o dom gwartheg a gwellt – ac yn ofni y byddai'r lleill yn dod i glywed ac yn gwneud hwyl am ei ben.

"Paid poeni. Mae dy gyfrinach yn saff 'da fi. Heblaw, wrth gwrs, y byddi di'n drewi gymaint a bydd pawb yn gwybod ta beth," dwedodd Gethin, yn tynnu ei goes.

Ceisiodd Guto ei sblasio, ond roedd Gethin yn rhy bell. Ceisiodd Guto eto ond wrth wneud collodd ei gydbwysedd a chwympo ar ei hyd i'r dŵr. Yn hytrach na grwgnach, dechreuodd nofio.

"Dera mewn!" gwaeddodd.

Petrusodd Gethin. Ond am eiliad yn unig. Tynnodd ei ddillad a thaflu ei hun i'r afon. Nofiodd ar wyneb y dŵr, ar ei gefn. Gyrrodd yr oerni wefr trwy ei waed. Gallai deimlo ei galon yn curo. Roedd pob centimetr o'i gorff yn teimlo'n hollol effro. *Dyma sut deimlad yw bod yn gwbwl fyw ac iach*, meddyliodd Gethin, ac roedd yn deimlad anhygoel.

18

Roedd sôn am y ras – neu'r 'rhedfa' fel oedd pobl yn ei galw bryd hynny – wedi lledaenu ar draws y plwyf a thu hwnt. Doedd hi ddim yn syndod felly i'r bechgyn fod cymaint o bobl wedi dod i wylio, yn enwedig am fod y tywydd mor braf. Roedd yn ddiwrnod hyfryd o Haf Bach Mihangel, a'r haul wedi dewis ymweld â mis Medi unwaith yn rhagor cyn gorffwys tua'r hydref. Ond doedd hi ddim yn rhy boeth chwaith, a chan fod y tir yn dal yn sych roedd yr amodau'n berffaith ar gyfer y ras. Serch hynny, roedd Gethin yn medru gweld bod Guto ychydig yn nerfus, felly cynigiodd fod Guto'n ymestyn a thwymo ei gyhyrau er mwyn canolbwyntio ar y dasg oedd o'i flaen.

Pan ddwedodd Guto wrth ei dad am y ras rai wythnosau ynghynt, roedd yn flin iawn, nid yn unig am fod y bechgyn wedi trefnu hyn heb ofyn am ei gyngor ond hefyd am nad oedd yn ymddiried yn Richard Edwards. Rhybuddiodd y bechgyn y byddai'n siŵr o ddefnyddio rhyw driciau budr i droi'r sefyllfa i'w fantais. Er hyn, roedd Gethin yn hollol siŵr y byddai Guto'n medru ymdopi gydag unrhyw beth.

Roedd y ras, oedd yn bum milltir o hyd ac wedi'i marcio, i fod i gychwyn am bump y prynhawn. Ond doedd dim sôn am Richard Edwards. A oedd wedi cael traed oer? Am bump o'r gloch ar ei ben cyrhaeddodd ar ei geffyl, ac Ianto wrth ei gwt. Roedd Gethin yn falch o weld bod Guto erbyn hyn yn edrych yn fwy hyderus.

"Barod am y rhedfa?" gofynnodd Richard Edwards.

"Ydw, unwaith fyddwch chi wedi disgyn oddi ar gefn eich ceffyl," atebodd Guto.

"Aros fyddi di, 'machgan i, achos ar gefn y ceffyl fydda i'n cymryd rhan."

Aeth su trwy'r dorf, fel gwenyn dig.

"Dera lawr o'r ceffyl 'na ar unwaith," dwedodd tad Guto.

"Soniodd dy fab ddim byd am *sut* y byddwn i'n gorfod cymryd rhan," oedd ymateb Richard Edwards. Dechreuodd Ianto biffian chwerthin, yn mwynhau pob eiliad.

Aeth su arall drwy'r dorf.

"Dim problem," dwedodd Gethin yn uchel, gan synnu pawb.

Peidiodd piffian Ianto. Roedd Gethin yn cofio'r stori fod Guto wedi curo dyn ar ben ceffyl pan oedd yn hŷn, ac roedd yn hyderus ei fod digon cyflym i wneud hyn yn bedair ar ddeg oed hefyd.

"Ond os yw Guto yn ennill, bydd rhaid i chi roi dwy fuwch i ni," ychwanegodd Gethin.

"A beth gêf i gennyt titha?"

"Bydda i'n was llawn amser i chi, a symud o Nyth Brân."

"Nê!" gwaeddodd tad Guto.

Anwybyddodd Richard Edwards ei floedd. O'i geffyl, gofynnodd i Guto, "Wyt ti'n fodlon derbyn yr her?"

Roedd Guto'n ofni dweud dim, felly sibrydodd Gethin yn ei glust, "Paid poeni. Fe wna i dy swyno di gyda hud y tylwyth teg."

Gwenodd Guto a chytuno heb oedi.

Dymunodd ei ffrindiau bob lwc iddo ac roedd pawb yn ymgroesi ac yn dweud gweddi dawel, gan gynnwys Catws. Yna aeth y dorf yn yn fud wrth i'r dyfarnwr – ffermwr lleol – godi ei hances cyn ei gollwng i'r llawr. Aeth Guto bant fel mellten.

"Ddim yn rhy gyflym!" gwaeddodd Gethin ar ei ôl. Roedd Guto ryw gan metr i ffwrdd yn barod ond doedd dim brys i'w weld ar Richard Edwards.

"Rhwydd hynt iddo. Fi ddalia fa yn y diwadd," dwedodd, cyn trotian i ffwrdd yn hamddenol ar ei geffyl.

Roedd rhywbeth ynglŷn ag agwedd Richard Edwards oedd yn gwneud i Gethin feddwl fod yna ddrwg yn y caws, felly penderfynodd wneud yn siŵr nad oedd wedi gosod rhyw fath o drap i Guto ar hyd y cwrs yn rhywle.

Anelodd Gethin at y marc hanner ffordd, gan gadw golwg am rywbeth amheus. Yna yn y pellter gwelodd Ianto'n newid cyfeiriad un o'r marciau ac yn llechwra nes bod Guto'n ei basio, cyn newid cyfeiriad y marc 'nôl i'w safle gwreiddiol.

Doedd dim dewis gan Gethin ond ceisio dal Guto. Rhedodd nerth ei draed – yn gyflymach nag y rhedodd erioed o'r blaen. Rhaid bod yr holl ymarfer wedi gwella ei ffitrwydd hefyd achos o fewn dim roedd yn dal fyny â Guto.

"Aros, Guto! Aros!" gwaeddodd, a'i wynt yn ei ddwrn.

Diolch i'r drefn fe glywodd Guto ac arafodd. Esboniodd Gethin yn sydyn iddo beth oedd wedi digwydd. Rhedodd Guto i'r cyfeiriad arall, yn dilyn y cwrs cywir.

Oherwydd y twyll, roedd Richard Edwards bellach ar y blaen, ond penderfynodd Gethin chwarae'r un tric ar Richard Edwards. Rhedodd ymlaen i'r marc nesa er mwyn newid cyfeiriad hwnnw. Cuddiodd y tu ôl i glawdd a phan basiodd Richard Edwards ar ei geffyl, newidiodd Gethin yr arwydd yn ôl i'r cyfeiriad gwreiddiol. Rhyw funud neu ddwy yn hwyrach dyma Guto'n rhuthro heibio i Gethin, yn wên o glust i glust. Erbyn i Richard Edwards sylweddoli beth oedd wedi digwydd, roedd y ras bron ar ben.

Cododd bonllef o'r dorf pan welon nhw Guto'n llamu i lawr y bryn tuag at y postyn terfyn, a bloedd arall lai brwdfrydig pan ddaeth Richard Edwards i'r golwg, yn defnyddio ei chwip yn ddidrugaredd ar ei geffyl.

Pan glywodd Guto y dorf, edrychodd tuag yn ôl a cholli ei gydbwysedd. Syrthiodd a rholio'n bendramwnwgl, cyn dod i stop wrth daro carreg. Roedd Richard Edwards yn ennill tir yn gyflym.

"Coda, Guto Nyth Brân!" gwaeddodd Gethin, gan wneud arwydd siâp cylch gyda'i law. Roedd hyn yn ddigon i Guto gredu fod Gethin yn taenu swyn drosto. Cododd Guto a dechrau rhedeg. Ond a fyddai'n ddigon i guro Richard Edwards?

Roedd hwnnw'n carlamu tuag at Guto ar ei geffyl. Cael a

chael oedd hi pwy fyddai'n ennill. Hyrddiodd Guto ei hun at y postyn terfyn a chyrraedd dwy eiliad cyn Richard Edwards.

Aeth y dorf yn wyllt, yn union fel petai Gareth Bale neu Hal Robson-Kanu wedi sgorio gôl dros Gymru. Cododd y ffermwyr Guto ar eu hysgwyddau a bloeddio canu. Gwyddai Richard Edwards yn yn iawn beth roedd Gethin wedi'i wneud ond hefyd yn gwybod nad oedd pwynt iddo gwyno, gan y byddai ei dwyll ei hun yn dod i'r golwg wedyn. Yn dawel bach, roedd yn gynddeiriog. Ond roedd Ianto'n methu'n deg â chuddio ei ddicter ac roedd yn rhythu ar y bechgyn yn llawn casineb.

"Llongyfarchiadau, Guto," dwedodd Richard Edwards, gan wasgu ei ddannedd yn dynn. "Ac i dy gynorthwywr, Gethin Tan-y-graig."

"Nace Gethin Tan-y-graig," dwedodd Guto. "Ond Gethin Nyth Brên."

Gwenodd Gethin yn falch. Estynnodd Richard Edwards ei law, yn gyntaf i Guto ac yna i Gethin. Wrth ysgwyd llaw â Gethin, sibrydodd yn ei glust:

"Byddi'n talu'n ddrud am hyn, 'machgan i."

Chlywodd neb ond Gethin y geiriau chwerw yma. Yr eiliad nesaf dechreuodd pawb floeddio.

"Hir oes i Gethin Nyth Brên!"

Ond allai Gethin ddim mwynhau'r foment fel y dylai. Roedd bygythiad Richard Edwards yn dal i atseinio yn ei ben. Yn y pellter, gwelodd y sgweiar yn rhoi dyrnaid i Ianto, cyn ei halio gerfydd ei glust tuag adre gydag un llaw, ac yn tywys ei geffyl gyda'r llall.

Doedd Gethin ddim hyd yn oed yn medru mwynhau

gweld Ianto'n cael ei haeddiant. Roedd yn gwybod petai
Richard Edwards yn cael ei ffordd mai dyma'r union fath o
driniaeth y gallai Gethin ei hun ei disgwyl. Neu waeth.

19

Roedd teulu Nyth Brân ar y ffordd i'r eglwys unwaith eto, y
tro hwn i ddathlu gŵyl nawddsant y plwyf, Gwynno Sant.

Roedd Gethin yn edrych ymlaen at weld pawb – heblaw
Richard Edwards, wrth gwrs. Ac Ianto. Fyddai Catws ddim yn
yr offeren ei hun ond roedd wedi cael caniatâd gan ei rhieni i
ymuno yn yr hwyl ar ôl hynny, gan ei fod yn ddiwrnod mor
arbennig.

Wrth gerdded ochr yn ochr â mam Guto, sylwodd Gethin
nad oedd cymaint o wahaniaeth maint rhyngddynt rhagor.
Rhaid ei fod wedi tyfu hyd yn oed yn fwy. A pha ryfedd?
Roedd bellach wedi bod yn byw yn y gorffennol ers bron i
flwyddyn gron. Roedd Dydd Gŵyl Gwynno yn cael ei ddathlu
ar y 26ain o Hydref, felly dim ond ychydig o ddiwrnodau oedd
tan Nos Galan Gaeaf.

Ar ôl yr offeren, roedd y rhimyn o dir o flaen yr eglwys yn
llawn dop o bobl. Dechreuodd y pibydd ganu ei offeryn a
daeth nifer o'r bobl ifanc at ei gilydd i ddawnsio. Gwenai'r
bobl hŷn, gan gofio'r adegau, flynyddoedd yn ôl, pan fydden
nhw wedi dawnsio gyda'u cariadon.

Ymddangosodd pêl bren o rywle. Pasiodd Guto y bêl i

Gethin. Wrth iddo neidio amdani, cipiodd rhywun y bêl o'i ddwylo. Richard Edwards.

"Mae'r gêm ar ben i titha, 'machgan i," dwedodd yn fygythiol. Gwelodd tad Guto beth oedd yn digwydd a daeth draw yn syth.

"Dygwyl Gwynno dê i ti," dwedodd Richard Edwards wrtho, gan gilwenu. "Ond mae gen i ofn nad yw hi'n ddiwrnod dê i'r crwtyn acw," ychwanegodd, gan bwyntio at Gethin. Aeth ymlaen i esbonio ei fod wedi gwneud ymholiadau ac wedi darganfod nad oedd fferm o'r enw Tan-y-graig yn agos i Lanfrynach, felly un o ble oedd y Gethin go iawn? A sut bod bachgen tlawd, di-nod yn medru siarad Saesneg gystal? Yn wir, mae'n medru ambell air o Ffrangeg! Efallai taw sbiwr yw e!

Roedd pobl eraill wedi dechrau ymgasglu i wrando. Roedd Gethin yn teimlo bod y byd yn cau o'i gwmpas. Gwelodd dad Guto'n edrych arno'n anghrediniol. Suddodd ei stumog i'w bengliniau ... ond roedd gwaeth i ddod.

"Ond yn llawer mwy difrifol na hynny, gwelws Ianto fa yn dwyn maharan."

"Fasa Gethin byth yn gwneud y fêth beth," dwedodd tad Guto, a rhoi ei fraich o gwmpas Gethin i'w amddiffyn.

"Dim ond un ffordd sydd i setlo hyn. Ewn i dy gaea di i weld."

Cytunodd tad Guto, ac arwain Gethin drwy'r dorf. Wrth i Gethin adael tir yr eglwys, a'i goesau'n crynu, y person olaf iddo weld oedd Catws yn cyrraedd. Fyddai Gethin byth yn anghofio sut y rhewodd ei gwên wrth iddi sylweddoli bod rhywbeth mawr yn bod.

Erbyn iddyn nhw gyrraedd Nyth Brân roedd Guto wedi ymuno â nhw, ar ôl rhedeg yr holl ffordd adref i fod yn gefn i'w ffrind, er i'w dad ei siarsio i aros yn yr eglwys.

"Tasa'r crwtyn yn fêb imi, basa fa wedi dysgu gwrando," dwedodd Richard Edwards yn ddirmygus.

"Dyw a ddim, diolch i'r drefn," oedd ateb swta tad Guto.

Dyma gychwyn ar y dasg o edrych am y maharen. Roedd Gethin erbyn hyn yn crynu o'i gorun i'w sawdl. Er nad oedd wedi dwyn yr anifail, roedd yn ofni bod Richard Edwards yn mynd i gael y gorau ohono. Aethon nhw o un cae i'r llall, caeau roedd Gethin bellach yn adnabod fel cledr ei law: Cae Dan y Ffynnon, Waun Dan Sgubor, Hendra a Chae Isha Erfin. Doedd dim golwg o'r maharen yn unman. Gwelodd Gethin fod Richard Edwards yn dechrau anesmwytho. Yna gwelodd Ianto'n cerdded tuag atyn nhw.

"Mistar! Fi welws y maharan! Lawr ar bwys yr afon!"

Brysiodd pawb i lawr yr allt tuag at afon Rhondda. Ac yno, ar gyrion y coed ar Waun Glandŵr, roedd maharen Richard Edwards yn pori'n braf.

"Ar fy marw," dwedodd tad Guto yn syn.

"Nace Gethin ddwcws y maharan!" protestiodd Guto.

"Dacw'r prawf," dwedodd Richard Edwards. "A dacw'r tyst", gan bwyntio at Ianto.

"Gwir, mistar. Fi welas y cwbwl," dwedodd Ianto, gan daflu gwên fuddugoliaethus i gyfeiriad Gethin. Roedd yn amlwg i bawb ei fod yn dweud celwydd.

"Ti wyddot taw'r gosb am hyn yw croci?" gofynnodd Richard Edwards i Gethin, a'i gwestiwn mor ddidaro â phe bai'n holi am y tywydd.

"Crogi?" sibrydodd Gethin, gan ofni'r gwaethaf.

"Nac oes modd i ni ddod i ryw fath o ddealltwriath?" gofynnodd tad Guto. Edrychodd Richard Edwards ar Gethin am eiliad neu ddwy, cyn ateb.

"Er gwaetha beth ddweta pawb, tydw i ddim yn ddyn afresymol. Gan fod Gethin eisoes wedi cynnig bod yn wês imi tasa fa'n colli'r bet adag y rhedfa ..."

Doedd dim rhaid iddo orffen y frawddeg. Roedd Gethin yn gwybod bellach beth fyddai ei ffawd. Cytunodd tad Guto y byddai'n rhyddhau Gethin o'i ddyletswyddau yn Nyth Brân ar ôl Calan Gaeaf. Aeth Richard Edwards oddi yno'n fodlon, ac Ianto ar ei ôl – ond nid cyn i hwnnw daflu edrychiad dirmygus i gyfeiriad Gethin.

Roedd Gethin yn teimlo fel chwydu. Am hunllef! Byddai'n was i'r person mwyaf atgas yn yr holl blwyf – efallai ym Morgannwg gyfan. Ond er mor ddigalon roedd Gethin, roedd yn gwybod hefyd ei fod wedi cael dihangfa: petai Richard Edwards wedi mynnu, gallai Gethin fod yn wynebu rhywbeth llawer iawn gwaeth.

~

Treuliodd Gethin y prynhawn hwnnw'n crwydro caeau'r fferm ar ei ben ei hun. Doedd ddim eisiau cwmni. Yn ei law, roedd y garreg lefn a roddodd Guto iddo bron i flwyddyn yn ôl, a'r map o'r plwyf wedi'i grafu arni. Ei ymateb cyntaf oedd bod rhaid iddo ddianc rhag Richard Edwards. Ond i ble? Ar ôl tipyn, ceisiodd ddarbwyllo ei hun na fyddai pethau efallai cynddrwg ag yr oedd yn ei ofni. Ar ôl blwyddyn neu ddwy, efallai byddai modd dychwelyd i aelwyd Nyth Brân – *os byddai byw*, sibrydodd llais bach yn ei glust. Llais Hen Ŵr y Coed. Edrychodd Gethin o'i gwmpas ond doedd neb i'w weld yn unman. Beth os oedd yr Hen Ŵr yn iawn ac y byddai'n gorwedd ym mynwent yr eglwys cyn diwedd yr haf nesaf?

Craffodd ar y map eto. Roedd rhywbeth yn ei boeni. Yna gwelodd fod modd gweld dau wyneb arno. Y cyntaf, fel roedd Guto wedi'i ddisgrifio, yn syllu tua'r dwyrain. Ond roedd modd gweld siâp wyneb yn edrych tua'r gorllewin hefyd. Wyneb brawychus. Wyneb y diafol.

Aeth ias drwyddo. Rhaid iddo ddianc, neu drengi. A'r unig un fyddai'n gwybod sut y gallai lwyddo oedd y person a'i rybuddiodd wythnosau lawer yn ôl.

~

Roedd yr awyr yn ddulas a'r gwynt yn fain wrth i Gethin gyrraedd cyrion coedwig Craig-yr-hesg. Oedodd, cyn mentro i ganol y goedwig.

"Helô-ô!" gwaeddodd drosodd a throsodd, gan wneud corn siarad â'i law. Atseiniodd llais Gethin trwy'r goedwig, a'i sain yn bownsio dros y creigiau. O'r diwedd, clywodd Gethin lais cyfarwydd y tu ôl iddo.

"Ti ddeuthot o'r diwedd. Buo fi yn dy ddisgwyl."

Cerddodd yr hen ddyn tuag ato. Am berson mor hen roedd yn symud yn gyflym. Doedd Gethin erioed wedi meddwl y byddai mor falch o'i weld.

"Dwi angen eich help," dwedodd Gethin yn frysiog. Ond cyn iddo gael cyfle i ddweud dim mwy, cododd yr hen ddyn ei law i'w ddistewi.

"Gwn y cwbwl. Tasat ti wedi gwrando arna i, basat wedi

medru dianc yn ôl i'r presennol yn yr haf ar noson Gŵyl Ifan pan mae drws amser yn cilagor. Ond mae un siawns arall gennyt."

"Pryd?" gofynnodd Gethin yn eiddgar.

"Noswyl Calan Gaea, wrth gwrs," oedd yr ateb.

"Ond nos fory yw hynna!" protestiodd Gethin.

"Rhaid i ti fynd i'r union le y cyrhaeddaist. Ddangosa i iti."

Dechreuodd yr hen ddyn gerdded i ffwrdd ond aros yn ei unfan wnaeth Gethin. Roedd yn dal mewn sioc.

"Does dim amser i'w golli," pwysleisiodd Hen Ŵr y Coed. Rywsut, llwyddodd Gethin i roi un droed o flaen y llall a'i ddilyn.

20

"Beth wnêf i hebddot ti?" cwynodd Guto, a'i lygaid yn llawn poen ar glywed y newyddion bod Gethin am ddianc o'r byd hwn. "Wy ddim yn deall. Pam na fedri di swyno Richard Edwards?"

Oedodd Gethin cyn ateb. Roedd yr amser wedi dod iddo ddweud y gwir wrth Guto. Doedd ddim yn medru byw gyda'r celwydd rhagor.

"Achos ... dim un o'r tylwyth teg ydw i," atebodd Gethin.

Edrychodd Guto arno'n syn.

"Beth wyt ti, felly?"

"Person. Yn union fel ti. Ond ..." petrusodd Gethin cyn dweud rhagor.

"Ond beth?" mynnodd Guto.

"Ond ... dwi'n dod o'r dyfodol. Tri chan mlynedd i'r dyfodol, a bod yn fanwl."

Dechreuodd Guto chwerthin. Roedd yn fodlon credu mai un o'r tylwyth teg oedd Gethin ond roedd y syniad o rywun yn glanio o'r dyfodol yn hollol hurt.

"Ti ddeuthot Galan Gaeaf. Wrth gwrs taw un o'r tylwyth teg wyt ti," taerodd Guto.

"Ond mae 'na adegau eraill o'r flwyddyn pan mae'r ysbrydion yn crwydro gyda'r nos, nagoes?" gofynnodd Gethin.

"Oes, wrth gwrs. Ti wyddot yn iawn. Calan Mai a Gŵyl Ifan," atebodd Guto.

Aeth Gethin ymlaen i ddweud nad gwallgofddyn oedd Hen Ŵr y Coed ond rhywun oedd yn deall byd natur a'i holl gyfrinachau. Roedd wedi esbonio wrtho fod y ffin rhwng y gorffennol, y presennol a'r dyfodol mor denau â phlisgyn wy ar y nosweithiau hyn. A dyna sut y bu'n bosib iddo groesi ffin amser.

"Rhaid i fi ddianc ar y Noson Calan Gaeaf sydd i ddod achos os arhosa i fwy na blwyddyn mewn dimensiwn gwahanol fydda i byth yn gallu mynd 'nôl," ychwanegodd Gethin.

Ond doedd Guto'n dal ddim eisiau ei gredu.

"Ydi'r dillad ro'n i'n gwisgo pan gyrhaeddes i'n dal yma'n rhywle?" gofynnodd Gethin.

"Ydyn. Mi guddias i nhw yn y beudy," atebodd Guto.

Mynnodd Gethin eu bod yn mynd i'r beudy ar unwaith. Rhoddodd Guto'r cwdyn i Gethin, a dangosodd hwnnw'r wig gyda'r clustiau mawr, a'r sliperi blewog iddo. Byseddodd Guto nhw'n syn. Doedd e erioed wedi gweld rhywbeth plastig o'r blaen, ond roedd e'n gwybod nad clustiau na thraed go iawn oedden nhw.

"Gwisg ffansi," esboniodd Gethin. "Rhywbeth mae pobol yn gwisgo am hwyl yn y dyfodol. Mewn parti gwisg ffansi ro'n i cyn diflannu Noson Calan Gaeaf."

"Parti?" gofynnodd Guto, heb ddeall.

"Dathliad. Parti Calan Gaeaf. Lan y Graig Wen."

"Y fferm?" holodd Guto'n syn.

"Ardal o Bontypridd sydd wedi'i henwi ar ôl y fferm."

"Pont y tŷ pridd? Ond … ambell fwthyn sydd yno ar lanna'r Têf, dyna'r oll."

"Bydd tref yn tyfu 'na, ti'n gweld."

"Un fawr?"

"Dibynnu. Tua tri deg mil o bobl."

"Deng mil ar hugan!" bloeddiodd Guto'n anghrediniol.

"Dyw hynna yn ddim byd. Mae Caerdydd deg gwaith yn fwy."

"Cêrdyf?"

"Ie. Prifddinas Cymru."

"Mae gynto Cymru brifddinas?!" holodd, yn fwy anghrediniol fyth. Doedd dim taw ar Guto wedyn. Roedd ganddo gant a mil o gwestiynau ynglŷn â'r dyfodol, ond roedd Hen Ŵr y Coed wedi rhybuddio Gethin rhag peidio dweud dim, rhag ofn iddo beryglu cydbwysedd amser ei hun.

"Sorri. Alla i ddim dweud rhagor."

"Medri ddweud un peth bêch …" ymbiliodd Guto.

Ildiodd Gethin. "Byddi di'n rhedwr enwog iawn ac yn ennill sawl rhedfa."

"Y fi? Yn enwog?" dwedodd Guto'n syfrdan. "Wyt ti'n dweud y gwir?"

"Ydw."

"Taet ti'n marw?"

"Tawn i'n marw."

Ymledodd gwên dros wyneb Guto a dechreuodd neidio i fyny ac i lawr gan guro ei ddwylo. Gwnaeth Gethin ei orau glas i edrych yn falch drosto, ond roedd ei galon yn gwaedu am ei fod hefyd yn gwybod y byddai Guto'n syrthio i'r llawr ar ôl ras ryw ddydd ac yn marw'n ddyn ifanc. Hyd yn oed pe byddai'n cael dweud y gwir i gyd wrtho, byddai Gethin wedi dewis peidio.

Ar ôl ychydig, calliodd Guto, a throi at ei ffrind. "Ond ... nag wyt ti'n hapus yma?"

"Ydw. Wrth gwrs bod fi."

"Pam wyt ti eisia dianc, felly?"

"Nage 'eisiau' ydw i. Gorfod."

"Ond pam?"

"Achos os na wna i, fydda i ddim yma yr adeg hyn flwyddyn nesa."

"Ble fyddi di?"

"Yn gorwedd mewn bedd ym mynwent Eglwys Wynno. Dyna ble. Felly, wnei di fy helpu fi feddwl be wy'n mynd i'w ddweud wrth y lleill?"

Gyda chalon drom, cytunodd Guto. Gollyngodd Gethin ochenaid o ryddhad. Roedd hyn yn ddigon anodd fel roedd hi. Byddai gadael ar delerau gwael gyda Guto yn annioddefol.

21

Roedd gan Gethin lwmp yn ei wddf pan ddwedodd ffarwél wrth Ifan, Dafydd a Siencyn, gan honni ei fod yn mynd i ddianc at berthnasau yn bell i ffwrdd yn yr Amerig lle fyddai'n ddiogel rhag dialedd Richard Edwards. Doedd e ddim yn edrych ymlaen at ddweud hwyl fawr wrth teulu Nyth Brân chwaith, ond yn gyntaf roedd rhywun arall roedd rhaid iddo'i wynebu: Catws.

Daeth o hyd iddi'n golchi dillad mewn nant, ger ei chartref. Gollyngodd y dilledyn roedd yn ei olchi a rhedeg ato.

"Wy wedi bod yn poeni gymaint amdanat! Yw hi'n wir y bydd rhaid i ti fod yn wês i'r dyn ofnatw 'na?"

Roedd Gethin wedi bwriadu dweud y cwbwl wrthi, ond o weld ei hwyneb yn llawn pryder, aeth yn fud. Gwnaeth hyn i Catws boeni hyd yn oed yn fwy.

"Dwed rhywbeth."

"Dwi'n gadael. At berthnasau sy'n byw'n bell," eglurodd, yn dweud yr un celwydd wrthi a ddwedodd wrth y bechgyn.

"Ond fe ddoi di yn ôl?" gofynnodd Catws yn dawel.

"Wrth gwrs," atebodd Gethin. Roedd yn methu dweud y gwir wrthi. Roedd hynny'n rhy boenus am ei fod yn gwybod na fyddai byth yn ei gweld eto. Ddim yn y byd hwn, p'run bynnag.

"O leia bydd Guto yn fy atgoffa i ohonot tra byddi bant," dwedodd Catws. Chwarddodd wrth weld wyneb Gethin yn llawn dryswch.

"Y'ch chi 'run ffunud â'ch gilydd erbyn hyn. Wyddot ti ddim?"

Doedd Gethin ddim wedi sylwi ar y tebygrwydd cynyddol rhyngddo â Guto. A pha ryfedd, heb ddrych? Doedd dim syniad ganddo sut roedd yn edrych bellach.

Arhosodd am sbel i helpu Catws i wasgu'r dillad roedd wedi'u golchi. Roedd y dillad yn oer a dwylo Catws yn goch. Gwelodd Gethin ddeigryn yn syrthio i lawr ei boch.

"Yr hen wynt 'ma yw a," dwedodd Catws, gan sychu ei llygaid. Ond roedd y ddau'n gwybod mai celwydd noeth oedd hynna. Wrth ddweud ffarwél, doedd yr un o'r ddau'n medru edrych i fyw llygaid y llall.

Ar y ffordd 'nôl i Nyth Brân cerddodd Gethin heibio Eglwys Wynno ac edrych i fyny tuag at lethrau Cefn Gwyngul. Yng ngolau gwan y pnawn roedd y rhedyn oedd unwaith yn drwch gwyrdd dros ochr y llethr wedi crino a chrebachu.

Penderfynodd Gethin fynd am un tro olaf o gwmpas mynwent yr eglwys. Sylwodd am y tro cynta gymaint o blant oedd wedi'u claddu gyda'i rhieni, rhai'n ddim ond yn fabanod ychydig fisoedd oed. Arhosodd ar bwys bedd bachgen pedair ar ddeg oed. Pa afiechyd gafodd e, tybed? Rhywbeth y byddai modd ei wella mewn tri chan mlynedd, siŵr o fod. Teimlodd Gethin y garreg fedd. Roedd yn oer, oer. Os na fyddai wedi penderfynu dianc 'nôl i'r presennol, efallai byddai hefyd yn gorwedd yn y fynwent ym mhen ychydig, fel y proffwydodd Hen Ŵr y Coed, a'i ffrindiau'n dod i ymweld â'i fedd.

Ceisiodd feddwl am rywbeth arall. Cofiodd am y wledd oedd yn ei ddisgwyl yn Nyth Brân. Nid bwyd llwy fyddai i swper heno – nid yr uwd neu'r llymru arferol ond blasusfwyd:

roedd mam Guto wedi addo paratoi 'pastai neithior', wedi'i
gwneud o gig dafad, winwns a llysiau cymysg. Roedd hefyd
wedi addo paratoi hoff bwdin Gethin, sef poset, oedd fel arfer
dim ond yn cael ei baratoi os oedd un o'r teulu'n anhwylus –
pwdin o laeth poeth wedi'i ychwanegu at felyn wy wedi'i guro
a digon o siwgr ar ei ben.

Gallai Gethin flasu'r poset yn barod a dychmygodd
gymryd llwy fawr o'r pwdin a'i lyncu'n araf. Roedd y teimlad
mor fyw fel iddo beidio sylwi'n syth ar y ddau ffigwr oedd yn
cerdded tuag ato.

"Gethin Nyth Brên! Neu a ddylswn i ddweud 'Gethin Wês
Richard'..."

Diflannodd y poset o ddychymyg Gethin. Gwelodd
Richard Edwards ac Ianto'n agosáu.

"Ceg fawr fu gyda Ifan Blaenhenwysg ariôd. Wi'n gwpod
popeth am dy gynllunia i ddianc i'r Amerig. Ond chaid di
ddim dianc rhacdda i, 'machgan i."

Gyda hynny, taflodd Ianto sach dros ben Gethin, ei glymu
gyda rhaff a'i lusgo ar gefn ceffyl Richard Edwards. Ond nid
cyn rhoi ambell gic a phwniad slei iddo. Digwyddodd popeth
mor gyflym chafodd Gethin ddim cyfle i amddiffyn ei hun.
Roedd Richard Edwards yn iawn. Byddai dim dianc rhagor.

~

Doedd Gethin ddim yn siŵr am faint yn union roedd wedi
bod yn gaeth yng nghwt mochyn Plas Coch ond roedd wedi
nosi ers tipyn. Rhyw bum neu bedair awr oedd ar ôl tan
hanner nos, ar y mwyaf, ac yna byddai'n rhy hwyr – byddai
drws amser yn cau arno'n glep – am byth.

Dychrynodd Gethin wrth i gyfarth cŵn Richard Edwards darfu ar y tawelwch llethol. Yna clywodd rywbeth yn crafu ar ddrws y twlc. Gwasgodd Gethin ei hun yn dynn i gornel bellaf y twlc yn ofnus. Clywodd y drws yn gwichian ac yn agor yn araf. A thrwy'r gwyll, gwelodd nad gelyn oedd yno ond ei ffrind pennaf.

"Glou! Tyn dy ddillad!" hisiodd Guto, yn ofalus i beidio codi ei lais. "A gwisga fy nillad i. Yn y tywyllwch bydd Richard Edwards yn meddwl taw ti wyf i. Mi wnêf yn siŵr ei fod yn fy nilyn. Mi geisia ei golli yn y tir corsog tu hwnt i'r eclws."

Er cymaint roedd Guto ofn mentro allan ar Noson Calan Gaea, roedd wedi dod i'r adwy. Wrth i Gethin a Guto gyfnewid dillad, esboniodd Guto fod Catws wedi dilyn Gethin ar ôl iddyn nhw gwrdd am ei bod eisiau dweud ffarwél yn iawn, ac wedi gweld y cwbwl. Ar ôl hynny rhedodd yr holl ffordd i Nyth Brân a dweud wrth Guto beth oedd wedi digwydd. Roedd tad Guto wrthi'n ei hebrwng adref am nad oedd yn ddiogel iddi fod allan ar ei phen ei hun heno, o bob noson.

Cyn ffarwelio, rhoddodd Guto fwndel i Gethin – ei wisg Hobbit.

"Falla fydd angan rhain arnat ti hefyd," dwedodd Guto. Er mor dywyll oedd hi, roedd gwên lydan Guto i'w gweld yn glir.

"Diolch," dwedodd Gethin, "am achub fi."

"Does dim rhaid i ti ddiolch. Rwyt ti fel brawd i fi, Gethin. Ni anghofiaf di fyth," dwedodd Guto, cyn diflannu i'r tywyllwch.

Ffrwydrodd sŵn cyfarth drwy ddüwch y nos eto. Amser mynd. Cripiodd Gethin allan o'r twlc a dechrau rhedeg nerth ei draed i lawr y llwybr i'r gât, cyn troi i'r dde i lawr y brif lôn i gyfeiriad Llantrisant.

Roedd golau'r lloer yn help mawr i Gethin gadw at y lôn ac i beidio syrthio. Ceisiodd ganolbwyntio ar ei anadlu a chymryd camau ysgafn, cyson yn lle rhuthro yn wyllt a blino'n rhy sydyn. Cododd y gwynt. Brwydrodd ymlaen.

Dros ddolefain y gwynt clywodd Gethin sŵn ceffylau'n carlamu yn y pellter. Sylweddolodd gyda braw fod y sŵn yn nesáu a bod rhaid iddo wneud rhywbeth. Hyrddiodd ei hun dros y clawdd. Cuddiodd y tu ôl i graig a thynnu ei ddillad yn gyflym heb falio dim am ffyrnigrwydd y gwynt. Rhoddodd ei wisg Hobbit amdano'n gyflym. A disgwyl.

Wrth i Richard Edwards a'i ddynion garlamu rownd y gornel dyma Gethin yn sefyll i fyny ar ben y graig a rhuo'n orffwyll. Dechreuodd y ceffylau strancio a gweryru mewn ofn. I'r dynion, nid plentyn mewn gwisg ffansi oedd o'u blaenau ond rhyw ddrychiolaeth erchyll, wedi'i rhyddhau o'r Arallfyd ar Noson Calan Gaeaf. Aeth y dynion i gymaint o banig â'r ceffylau, a chafodd Richard Edwards ei daflu o'i geffyl. Roedd wyneb hegar Ianto wedi'i barlysu gan ofn. Dyma siawns Gethin – a bant ag e.

O fewn dim roedd wedi gadael y brif lôn ac yn dilyn llwybr i gyfeiriad fferm Graig Wen. O'i flaen, gwelai amlinelliad Craig-yr-hesg yn erbyn y lloer. Bron yno, diolch i'r drefn. Ac ar ôl rhyw ddau gan metr gadawodd y llwybr a dechrau croesi'r caeau i gyfeiriad y coed.

Wrth iddo gyrraedd cyrion y goedwig fferrodd wrth i sŵn gwn yn tanio atseinio dros y creigiau, ac yna llais llawn casineb Richard Edwards, yn cael ei gario gan y gwynt.

"Dwyt ti ddim yn fy nhwyllo i, Gethin! Chaid di ddim dianc rhacdda i, ti'n clywad?!"

Ac yn adlais i eiriau'r sgweiar, llais Ianto'n addo dial yn y modd mwyaf creulon. Os na fyddai Richard Edwards yn saethu Gethin, byddai yntau'n taflu rhaff o gwmpas ei wddf a'i grogi yn y fan a'r lle. Aeth coesau Gethin fel jeli. Sylweddolodd fod un o'i glustiau Hobbit wedi disgyn. Rhaid eu bod wedi dod o hyd i'r glust ac wedi dyfalu'r gweddill. Teimlodd y dagrau'n cronni, yna rhoddodd gerydd i'w hunan. Nid dyma'r amser i anobeithio.

Rhedodd i gyfeiriad y llannerch hud. Roedd y dynion yn dod yn nes ac yn nes. Yn ddirybudd, syrthiodd niwl trwchus. Doedd dim syniad gan Gethin bellach i ba gyfeiriad roedd yn rhaid iddo fynd. Teimlodd law gref yn gafael yn ei fraich a chyn iddo gael cyfle i sgrechian, roedd llaw arall dros ei geg.

"Dilyna fi," sibrydodd Hen Ŵr y Coed.

Rhedodd Gethin gam wrth gam gyda'r hen ddyn, oedd yn symud fel rhywun chwarter ei oed. Roedd y niwl yn dechrau clirio – digon iddo sylweddoli ei fod yng nghanol cylch perffaith o goed derw. Roedd wedi cyrraedd. Trodd i ddiolch i'r hen ddyn ond roedd wedi diflannu.

Clywodd gangen yn torri. Trwy weddillion y niwl, gwelodd Richard Edwards yn cerdded tuag ato, gyda gwên greulon ar ei wyneb. A dryll yn ei law. Yn reddfol, gwyddai Gethin fod y dyn ar fin tanio. Hyrddiodd ei hun i'r llawr hanner eiliad cyn i fflach y gwn ei ddallu, a'r glec ei fyddaru. Teimlodd ergyd galed i'w ochr, a'r llosgi mwyaf ofnadwy. Roedd y fwled wedi'i daro.

Cododd y niwl. Gwelodd y sêr, yn un rhes berffaith. Ac yna aeth pob dim yn dywyll.

Fel y fagddu.

RHAN 3

22

Agorodd Gethin ei lygaid. Tywyllwch. Fel y fagddu. O hyd.
Ceisiodd symud ei fraich, ei law, ei fysedd. Am ba reswm
bynnag, doedd ei gorff ddim yn gwrando arno. *Efallai ei fod
wedi marw*, meddyliodd.

Yna clywodd sŵn yn y pellter. Rhaid ei fod yn dal yn fyw
wedi'r cwbwl, neu fyddai ei glustiau ddim yn gweithio.
Craffodd ar y sŵn, a sylweddolodd mai cŵn oedd yn cyfarth,
a'r cyfarth yn prysur agosáu. Helgwn Richard Edwards. Yn y
man, bydden nhw'n neidio arno ac yn ei rwygo'n ddarnau, fel
sgwarnog anffodus.

Dechreuodd grynu o'i gorun i'w sawdl. Roedd ei ben yn
ffrwydro gan dincian gwallgof ei ddannedd. Pam fod rhaid i
hyn ddigwydd nawr, a'r cŵn mor agos? Ceisiodd reoli
rhywfaint ar ei gorff rhag denu'r cŵn ond doedd dim taw ar y
cryndod. Uwchben tincian ei ddannedd, gallai glywed y
cyfarth yn dod yn nes ac yn nes.

Trwy'r tywyllwch, gwelodd ffurf mawr blewog yn llamu
tuag ato. Teimlodd anadl y bwystfil yn boeth ar ei foch.
Ceisiodd droi ei wyneb i ffwrdd, ond doedd dim dianc.
Agorodd y ci ei geg yn llydan, gan ddangos ei ddannedd

miniog ... cyn dechrau llyfu wyneb Gethin. Roedd hi'n eiliad neu ddwy cyn i Gethin sylweddoli nad ceisio ei larpio roedd y ci, ond ceisio bod yn gyfeillgar.

~

Butty Bach oedd enw'r ci, a Mr Roberts o Drealaw oedd enw ei berchennog. Helen, mam Gethin, ddwedodd wrtho ar ôl iddo ddod ato'i hun yn yr ysbyty ddeuddydd yn ddiweddarach. Pan ddaeth Butty Bach a Mr Roberts o hyd iddo, roedd Gethin wedi bod allan drwy'r nos ac wedi oeri i'r carn, a magu hypothermia.

"Sdim rhyfedd fod ti 'di mynd yn sâl," dwedodd ei fam, oedd wedi bod yn eistedd wrth ei wely yr holl amser yn disgwyl iddo ddeffro. Yn wahanol i rieni Guto, doedd hi ddim yn credu gair o'r Beibl, ond roedd hi wedi gweddïo am iachâd Gethin yr un fath.

"A rhaid bod tân gwyllt wedi dy daro di achos mae ôl llosg a chlais mawr ar dy ochr dde," ychwanegodd, cyn mynd ymlaen i ddweud nad oedd Gethin yn gwneud unrhyw synnwyr pan oedd yn llithro rhwng cwsg ac effro y diwrnod cyntaf ar ôl ei gludo i'r ysbyty, a'i fod yn siarad rhyw Gymraeg garbwl – oherwydd ei dymheredd uchel, siŵr o fod. Ond deallodd ddigon i adnabod yr enw 'Guto'. Doedd dim cof ganddi o Gethin yn sôn amdano o'r blaen.

"Oedd y Guto 'ma gyda ti pan est ti ar goll?" gofynnodd ei fam.

Roedd rhyw lais yn ei ben yn dweud wrth Gethin na ddylai ddweud y gwir wrth ei fam.

"Na, wy ddim yn credu. Wy ddim yn cofio," gwadodd.

"Rhaid bod ti'n cofio rhywbeth," protestiodd hi, yn y ffordd benderfynol yna oedd yn rhy gyfarwydd o lawer. *Doedd hi heb feddalu dim*, meddyliodd Gethin. *Pam na allai fod mwy fel Elen, mam Guto?* Ond heb yn wybod iddo, roedd yn gwneud cam â hi. Doedd e ddim wedi gweld ei dagrau, na'i chlywed yn ymbilio arno i ddeffro, nac yn sibrwd ei bod yn ei garu yn fwy na'r byd i gyd yn grwn – am ei fod wedi treulio oriau maith yn anymwybodol.

"Dim byd o gwbwl?" gofynnodd hi eto.

"Nadw, wir," gwadodd Gethin eto. Pesychodd. Roedd yn cael trafferth siarad am fod ei wddf yn gwneud dolur. Estynnodd ei fam ddŵr ato, a'i helpu i yfed llwnc.

"Wel?" holodd hi.

"Wy 'di blino," atebodd Gethin. Nid ceisio osgoi ei chwestiynau yn unig roedd e. Roedd blinder yn gorchuddio'i gorff, fel blanced.

"Tria gysgu tamed. Fydde ots 'da ti tasen i'n mynd i nôl coffi a rhywbeth bach i'w fwyta? Dwi heb gael dim ers oriau," esboniodd ei fam.

"Ocê," sibrydodd Gethin. Doedd ddim eisiau llidio ei wddf drwy siarad yn rhy uchel.

"Ti 'di ca'l sioc, dyna i gyd. Fydd popeth yn iawn, gei di weld," dwedodd ei fam. Roedd tynerwch anghyfarwydd yn ei llais. Ceisiodd Gethin wenu, er mwyn cymryd arno ei fod yn cytuno â hi. Roedd yn rhy gynnar i wybod a fyddai popeth yn 'iawn'. Rhy gynnar o lawer. Petrusodd ei fam am eiliad, fel petai'n ofn ei adael wedi'r cwbwl, cyn cerdded allan o'r stafell.

Teimlad rhyfedd oedd gorwedd mewn gwely go iawn. Roedd y dillad gwely mor wyn a'r glustog mor gyfforddus.

Teimlodd Gethin ei hun yn suddo yn is ac is i grombil y gwely. Ond er mor flinedig roedd ei gorff, doedd ei feddwl ddim yn barod i orffwys eto.

Os oedd wedi treulio blwyddyn yng nghwmni Guto, sut mai dim ond am noson yn unig bu ar goll? Ai breuddwyd oedd y cyfan? Ond roedd Guto mor fyw yn ei gof. A Catws. A'r lleill.

Roedd yn teimlo rhyddhad o fod yn ddiogel o grafangau Richard Edwards. Ond roedd yn drist ofnadwy hefyd. Yn drist na fyddai byth yn gweld Guto eto. Fodd bynnag, roedd gronyn o gysur: Byddai'n cael gweld Catws eto. Ac Ifan, Dafydd a Siencyn – neu fersiynau modern ohonyn nhw, o leiaf.

Yna cofiodd am Ianto. A Nathaniel. Ac arswydodd wrth feddwl am orfod gweld y ddau oedd yn cyfateb â nhw: Nathan a Cai.

Caeodd ei lygaid, a cheisio ei orfodi ei hun i syrthio i gysgu.

~

O'i gymharu â Nyth Bran, roedd y tŷ i'w weld mor fawr, mor ddestlus, mor lân, a'r byd y tu allan mor swnllyd a bygythiol – cymaint fel bod Gethin yn ddigon balch o dreulio'r rhan fwyaf o'i amser yn ei stafell.

Roedd y bwyd i'w weld yn rhyfedd, rhyfedd: yn rhy drwm, ac yn rhy hallt neu'n rhy felys. Bu Gethin yn breuddwydio am gael sglodion droeon tra yn Llanwynno. Ond pan gafodd rai o'r diwedd methodd fwyta mwy na llond llaw. Roedden nhw mor seimllyd roedden nhw'n troi ei stumog.

Er iddo drio ei orau, doedd hyd yn oed ei geco, Emil, ddim yn ei ddiddori rhyw lawer rhagor. Y cyfan y medrai feddwl amdano oedd Guto. A Catws. A chymeriadau eraill hoff Llanwynno.

Ar ôl wythnos o fod adref yn gofalu amdano, roedd rhaid i'w fam fynd 'nôl i'r gwaith. Yn dawel bach, roedd Gethin yn falch am iddi ffysian a'i faldodi o fore gwyn tan nos. Ac er iddi ei holi sawl gwaith, mynnodd Gethin nad oedd syniad ganddo pwy oedd wedi ymosod arno.

Wrth i'w fam adael i fynd i'r gwaith, galwodd Caitlin ar ffôn y tŷ, yn holi amdano. Roedd wedi danfon sawl tecst cyn hynny i ffôn symudol Gethin, ond doedd heb ateb. Doedd dim syniad ganddo beth ddylai ddweud.

Daeth Helen â ffôn y tŷ i'w stafell, ond ysgwyd ei ben yn ffyrnig wnaeth Gethin. Doedd e'n dal ddim eisiau siarad â Caitlin, ddim ar ôl iddo achosi cymaint o boen meddwl i bawb. Clywodd Gethin ei fam yn dweud celwydd golau, sef bod Gethin yn dal yn cysgu. Ar ôl gorffen yr alwad, daeth ei fam ato i holi a hoffai wahodd Caitlin draw dros y penwythnos, cyn mynd 'nôl i'r ysgol. Cafodd Gethin ei demtio, ond doedd ganddo ddim yr hyder i weld Caitlin ar ei phen ei hun, felly gwrthododd. Am unwaith, wnaeth ei fam ddim gwthio'r peth.

Penderfynodd Gethin lanhau caets Emil. Roedd rhaid iddo wneud *rhywbeth*, neu byddai'n mynd o'i go. Wrth iddo gychwyn arni, fe glywodd gloch drws y tŷ. Rhewodd. Caitlin, mae'n siŵr. Doedd ei dad-cu byth yn ffwdanu ateb y drws i neb fel arfer ac roedd Gethin yn gobeithio na fyddai y tro hwn chwaith. Ond o fewn dim, clywodd leisiau, ac yna llais Gransh yn groch:

"*Geth! You're friend's 'ere.*"

Distawrwydd. Wedyn sŵn Caitlin yn dringo i fyny'r grisiau. Wrth i'r drws agor, ceisiodd Gethin edrych mor ddihid â phosib. Ond disgynnodd ei ên pan sylweddolodd nad Caitlin oedd yno wedi'r cwbwl, ond Nathan, a hwnnw'n cilwenu arno. Roedd mor fawr a bygythiol ag erioed. Mor wahanol i Nathaniel eiddil, gwanllyd.

Syllodd Gethin arno'n gegrwth.

"Ti'n edrych fel fod ti 'di gweld ysbryd," dwedodd Nathan, cyn dod mewn i'r stafell. Heb feddwl, camodd Gethin yn ôl.

"Beth yw 'i enw e, 'te?" gofynnodd Nathan, yn pwyntio at yr anifail anwes.

"Emil," atebodd Gethin.

Camodd Nathan tuag at y gaets.

"Ga i ddal e?"

Heb aros am ateb, dododd Nathan ei law i mewn i'r gaets, fel pawen, a chipio Emil mewn chwinciad. Teimlodd Gethin ei stumog yn crebachu.

"Un bach ciwt yw e. Sen i ddim moyn i ddim byd ddigwydd iddo fe."

"Fel beth?" mentrodd Gethin.

"Fel damwain ... os bydde rhywun byth yn ffindo mas beth ddigwyddodd ar *Hallowe'en*."

Sychodd ceg Gethin yn grimp.

"Ti 'di cadw'n dawel?" gofynnodd Nathan.

"Do."

"A so ti'n mynd i weud 'tho neb?"

"Nadw."

Edrychodd Nathan ar Gethin, a'i lygaid yn treiddio

drwyddo. Ar ôl eiliadau maith, dododd Nathan Emil 'nôl yn ddiogel yn y gaets.

"O'n i'n gwbod allwn i ddibynnu arnat ti," dwedodd Nathan, gan gerdded at y drws. Wrth iddo'i agor, trodd Nathan tuag ato unwaith eto.

"Gyda llaw, ro'dd Caitlin yn dwlu ar yr anrheg. *Good job.*"

Gyda hynny, diflannodd Nathan trwy'r drws. Safodd Gethin yn ei unfan, fel petai ei draed wedi'u hoelio i'r llawr.

23

Edrychodd Gethin trwy ffenest y tacsi. Cymaint o bobl. Cymaint o dai. A phob dim yn symud mor gyflym. Roedd yn ddigon iddo deimlo'n chwil. Caeodd ei lygaid. Dychmygodd weld Caitlin eto. A phawb arall. Dechreuodd deimlo'n sâl yn ei stumog. Doedd e wir ddim yn siŵr a oedd e'n barod ar gyfer hyn.

Gransha oedd wedi cynnig talu, fel trêt ar ei ddiwrnod cyntaf 'nôl, ac roedd Gethin yn falch iawn o'r cyfle. O leiaf ei fod wedi dewis diwrnod da i fynd 'nôl i'r ysgol oherwydd roedd trip i Sain Ffagan y diwrnod hwnnw. Unwaith roedd Gethin wedi bod yno o'r blaen, a hynny flynyddoedd lawer yn ôl wrth ymweld â Gransha, a hwnnw'n dal yn medru cerdded yn ddidrafferth.

Penderfynodd ofyn i'r gyrrwr tacsi ei ollwng cyn iddo gyrraedd yr ysgol. Roedd Gethin yn medru clywed sŵn y disgyblion o bell, yn union fel y pryd hwnnw aeth i ffair Ynys-y-bŵl. Y tro hwnnw, roedd sŵn y ffair wedi'i atgoffa o sŵn iard yr ysgol. Am eiliad, disgwyliai weld nant Clydach, y bythynnod a'r dorf swnllyd hapus o'i flaen. Ond wrth gwrs, wrth iddo droi'r gornel nid rhialtwch y ffair ddaeth i'r golwg ond realiti didostur yr ysgol.

Pwniodd rhywun y bag ar ei gefn.

"Mami wedi neud sangwejes i ti ar gyfer y trip?" gofynnodd llais gwawdlyd.

Cai. Roedd Gethin yn methu credu ei anlwc. Oedd rhaid iddo daro i mewn iddo fe'n gyntaf, o bawb yn yr ysgol? Trodd i'w wynebu. Toddodd wyneb Cai a'i ddisodli gan wyneb creithiog Ianto. Roedd Gethin yn methu help ond rhythu arno. Anesmwythodd Cai.

"Be sy'n bod arnot ti, *weirdo*?"

Cerddodd Cai heibio iddo, a'i wthio o'r neilltu. Aeth Gethin i sefyll yng nghornel yr iard. Roedd yr holl weiddi a thynnu coes a gwthio a rhedeg yn gwneud i'w ben ffrwydro. Doedd erioed wedi teimlo'n fwy chwithig. Roedd yn ysu am ddianc i ddistawrwydd ei stafell wely, ond eto, teimlai'n ddig ag ef ei hun am deimlo dan gymaint o bwysau. *Beth yn y byd oedd wedi digwydd i'r llanc hyderus oedd wedi cael gymaint o lwyddiant yn Llanwynno? Roedd yn bell i ffwrdd yn y gorffennol, dyna beth! Yn berson arall mewn byd arall,* meddyliodd.

Yna gwelodd Gethin y Tri Trist yn sefyll gyferbyn ag e ar yr iard, yn gobeithio byddai neb yn sylwi arnyn nhw chwaith cyn i'r gloch ganu. Penderfynodd fynd atyn nhw. Roedd unrhyw beth yn well na sefyll yma fel delw ar ben ei hun.

"Helô," dwedodd Gethin. Doedd e ddim yn medru meddwl am ddim byd arall i'w ddweud. Edrychodd y Tri Trist

yn syn arno. Doedd neb yn siarad â nhw fel arfer. Rhyfeddodd
Gethin at ba mor debyg roedden nhw i Ifan Blaenhenwysg,
Dafydd Penrhiwgwynt a Siencyn Hafod Ucha, a dechreuodd
chwerthin, ond roedd y bechgyn yn meddwl ei fod yn gwneud
hwyl am eu pennau. Pylodd eu llygaid ac aethon nhw 'nôl i'w
cregyn fel crancod meddal yn dianc rhag pysgodyn rheibus.
Cyn i Gethin fedru ymddiheuro a chynnig rhyw fath o
esboniad – byddai'n methu dweud y gwir neu fydden nhw'n
meddwl ei fod yn gwbwl wallgof – gwelodd Caitlin yn pasio ac
aeth ar ei hôl yn gyflym.

"Caitlin!" dwedodd, a'i gwynt yn ei ddwrn.

Trodd Caitlin a gwenu arno. Dannedd perffaith Catws.
Ond roedd popeth arall amdani'n gwbwl wahanol i Catws, fel
drych oedd yn dangos y gwrthwyneb llwyr.

"Sut wyt ti?" gofynnodd Caitlin.

"Yn well," atebodd Gethin.

"Wnest ti fyth ateb galwadau ffôn fi," dwedodd hi,
ychydig yn biwis.

Gwridodd Gethin. Sychodd y geiriau'n grimp yn ei geg.

"O'n i'n rili becso, ti'n gwbod."

"Sorri," dwedodd Gethin yn dila, gan edrych ar ei draed.

"Gweld ti," dwedodd Caitlin yn sydyn, cyn brysio i
ffwrdd.

Gallai Gethin ei gicio'i hun. Roedd wedi edrych ymlaen
gymaint at weld Catws ... yna sylweddolodd mai dyna'r
broblem. Nid Catws oedd hi, ond Caitlin.

Cododd ei ben a gweld Caitlin a Nathan yn mynd i mewn
i'r adeilad, yn glòs glòs ac yn chwerthin, yn amlwg wrth eu
boddau yng nghwmni ei gilydd. Teimlodd Gethin fel petai

rhywun wedi arllwys bwced o ddŵr oer drosto.

"*Croeso i'r presennol*," dwedodd wrtho'i hun yn chwerw.

~

Roedd y disgyblion yn sefyll y tu allan i dollborth Penparcau yn Sain Ffagan, er bod rhai wedi sleifio rownd y gornel i'r popty i gael rôl gaws. Mae'n amlwg fod eisiau bwyd ar Miss Jenkins Hanes hefyd, oherwydd pwt digon byr oedd ganddi i'w ddweud am derfysgoedd Beca cyn cyhoeddi ei bod yn amser cinio.

Tra heidiodd y rhan fwyaf yn ôl i'r ffreutur yn y brif adeilad, anelodd Guto'n syth at y tŷ to gwellt i lawr y lôn ar y chwith. Cerddodd i mewn. Roedd y stafell yn dywyll, yn fyglyd ac yn ddigysur, ond doedd Gethin erioed wedi teimlo mor gartrefol. Anadlodd y mwg yn ddwfn i'w ysgyfaint, yn mwynhau ei sawr sur, yn gymysg â gwynt lledr a phren. Wrth y lle tân, yn llygad ei ddychymyg, gwelodd fam Guto yn paratoi bwyd. Craffodd i fyny i gyfeiriad y groglofft a dyna lle roedd yr efeilliaid yn piffian chwerthin ac yn chwifio ato. Clywodd sŵn lleisiau y tu allan. Guto oedd yno, mae'n siŵr, gyda'r criw, yn ei annog i fynd i hela cwningod ar lethrau Cefn Gwyngul neu ddal brithyll yn afon Rhondda.

Roedd y profiad mor fyw camodd allan o'r tŷ yn hollol grediniol y byddai'n gweld Guto a'r bechgyn, ond pwy oedd yno ond Cai, a hwnnw'n poenydio'r Tri Trist.

"Gwnê hynny unwath eto a chaid di glatshan a hannar, y bwbach!" taranodd llais cryf, awdurdodol.

Rhewodd Cai. A'r Tri Trist. Edrychodd Gethin o'i gwmpas i weld pwy oedd wedi gweiddi, cyn sylweddoli mai ef ei hun wnaeth, a'i fod wedi defnyddio hen dafodiaith Blaenau Morgannwg. Edrychodd Cai arno'n hollol anghrediniol.

"*You what?*" dwedodd Cai, gan gerdded tuag ato, a'i lygaid yn culhau. "Ti off dy ben, neu be?"

Gafaelodd Cai yn ei war. Heb feddwl, dyma Gethin yn troi'n chwim a thaflu Cai ar y llawr mewn un symudiad, fel roedd Catws wedi dangos iddo wrth ymaflyd codwm. O'r llawr, edrychodd Cai arno yn syn. Cododd yn simsan. Camodd Gethin tuag ato'n barod i'w daflu eto, os byddai raid. Ond camu tuag yn ôl wnaeth Cai.

"Ti rili *yn* off dy ben!" gwaeddodd, a'i lais, am unwaith, yn sigledig. Roedd y Tri Trist yn dal i syllu ar Gethin yn gegrwth. Aeth Cai heibio iddyn nhw a'i ben yn isel, cyn ymsythu wrth weld Nathan wrth y gât, gyda Caitlin. Cerddodd Cai at Nathan gan ddisgwyl rhyw air neu ddau o gefnogaeth ond ei anwybyddu wnaeth Nathan.

"Dim yn ddrwg. Dim yn ddrwg o gwbwl," dwedodd Nathan wrth Gethin, gyda thinc o edmygedd yn ei lais.

"Sdim ots 'da fi beth ti'n feddwl, ta beth," poerodd Gethin, oedd wedi cynhyrfu gymaint doedd dim pall arno am fod egni y Gethin dewr, mentrus o'r ddeunawfed ganrif yn ffrwydro trwy ei wythiennau.

"Gobeithio bod ti wedi hoffi'r anrheg – yr un gest ti gan Nathan," dwedodd Gethin wrth Caitlin.

"Sut wyt ti'n gwybod am yr anrheg?" gofynnodd Caitlin.

"Achos un fi oedd e. Fi wnaeth e," esboniodd Gethin.

Edrychodd Caitlin ar Nathan. "Yw e'n wir?" gofynnodd.

Ddwedodd Nathan ddim byd. Roedd y siom yn amlwg yn wyneb Caitlin. Trodd ar ei sawdl a cherdded i ffwrdd.

"Caitlin, aros!" galwodd Nathan, cyn brysio ar ei hôl –
ond nid cyn taflu edrychiad bygythiol i gyfeiriad Gethin.

Roedd yr adrenalin yn cilio fesul eiliad. A dim ond y pryd
hynny sylweddolodd Gethin yn union beth roedd wedi'i
wneud.

~

Ar y bws 'nôl i'r ysgol, gwnaeth Gethin yn siŵr ei fod yn
eistedd yn agos i'r athrawes, rhag ofn. Pan ddaeth Nathan ar y
bws, edrychodd Gethin i'r llawr. Doedd e ddim eisiau
cythruddo Nathan, ond doedd dim rhaid iddo boeni – dim
eto, o leiaf – oherwydd anelodd Nathan yn syth at Caitlin a
gwneud arwydd i'r bachgen oedd yn eistedd ar ei phwys i
ddiflannu. Cododd hwnnw'n frysiog. Eisteddodd Nathan ar
bwys Caitlin ond gwnaeth Caitlin bwynt o edrych allan trwy'r
ffenest a'i anwybyddu.

Rhoddodd Gethin y gorau i geisio sbecian i weld beth
oedd yn digwydd rhwng y ddau. Daeth y Tri Trist ar y bws ac
eisteddodd 'Ifan Blaenhenwysg' ar ei bwys, a'r ddau arall y tu
ôl iddo.

"Diolch am achub ni," dweddodd y bachgen ac estyn ei law.

"Tipyn o *gentleman*, dwi'n gweld," dwedodd Gethin, gan
gofio geiriau Richard Edwards. Gwenodd y bachgen yn nerfus.
Doedd e ddim yn siŵr iawn sut i ymateb.

"Beth yw dy enw di?" gofynnodd Gethin.

"Evan," atebodd.

"Chi?" gofynnodd Gethin i'r lleill.

"Dawid," dwedodd y cyntaf. "Mae mam fi'n dod o Wlad
Pwyl," esboniodd.

"Jordan," atebodd 'Siencyn'.

Ac yna dyma'r bechgyn yn holi Gethin yn dwll. Daeth yn amlwg i Gethin fod ei 'ddamwain' ar Noson Calan Gaeaf a'i arhosiad yn yr ysbyty wedi bod yn bwnc llosg yn y dosbarth. Ac roedd Gethin wedi meddwl nad oedd prin neb wedi cymryd dim sylw ohono.

Roedd Gethin wrth ei fodd yn cael cynulleidfa mor frwd ag Evan, Dawid a Jordan. Pan soniodd fod diddordeb ganddo mewn rhedeg aeth Evan yn gynhyrfus i gyd.

"Hei! Dylet ti gymryd rhan yn y ras fawr Nos Galan!"

"Pa ras?" gofynnodd Gethin.

"Ras Guto Nyth Brân," atebodd.

Bu bron i Gethin gwympo oddi ar ei sedd. Dyma arwydd, os buodd un erioed! Cofiodd Gethin y wefr o gydredeg gyda Guto. Os medrai redeg mor gyflym bryd hynny, pam ddim gwneud hynny eto, yn y presennol? Wedi'r cwbwl, roedd wedi curo Nathan hefyd wrth iddo ddianc rhagddo Noson Calan Gaeaf.

"Syniad gwych!" dwedodd Gethin, gan godi. Roedd y bws wedi cychwyn erbyn hyn a cheisiodd gerdded mor syth ag y gallai. Aeth tuag at Nathan. Roedd hwnnw'n siarad yn ddwys gyda Caitlin. Roedd y ddau'n synnu ei weld.

"Ras Nos Galan. Ti a fi," dwedodd Gethin wrtho.

"Beth?" gofynnodd Nathan yn anghrediniol.

"Os wy'n ennill, ti'n gadel llonydd i fi. Am byth."

"Ac os ti ddim?" gofynnodd Nathan, yn cilwenu yn union fel Richard Edwards.

"Yna fe wna i bopeth ti'n gofyn i fi neud," atebodd Gethin.

Chwarddodd Nathan. Roedd yn amlwg yn meddwl nad

oedd gan Gethin yr un rhithyn o obaith o'i guro. Ac o weld edrychiad anghrediniol Caitlin, doedd hithau ddim chwaith.

24

Chysgodd Gethin fawr ddim y noson honno. Roedd anferthwch yr her roedd wedi'i rhoi i Nathan yn chwyrlïo o gwmpas ei ben. Pan lusgodd ei hun lawr i'r gegin i gael rhywbeth i frecwast, roedd ei fam eisoes wedi gadael i fynd i siopa. Ond chafodd fawr o lonydd, achos o fewn dim daeth Gransha i'r gegin i wneud paned iddo'i hun. Roedd ganddo sylw bachog, fel arfer:

"*Still live 'ere then, do you?*"

"Edrych fel 'ny," atebodd Gethin.

Fyddai byth wedi meiddio siarad fel hyn â'i fam, ond chwerthin wnaeth ei dad-cu, gan ddangos y bylchau rhwng ei ddannedd. Roedd Gransha Grange yn wahanol iawn i Gethin. Doedd dim ofn dim byd arno, ddim hyd yn oed ofn marw. Robert David Tanner oedd ei enw llawn, ond Bobby Grange roedd pawb yn ei alw am iddo arfer cefnogi tîm pêl-droed Dinas Caerdydd ac yn sefyll y tu ôl i'r gôl yn y rhan o'r cae roedd pobl yn ei galw 'The Grange End', nes bod sefyll drwy gêm gyfan yn rhy boenus iddo. Roedd e'n rhy styfnig i fynd i ran arall o'r maes lle allai fod wedi eistedd, ac felly stopiodd fynd yn gyfan gwbwl. A byth ers i'r stadiwm newydd gael ei adeiladu, roedd wedi colli pob diddordeb p'run bynnag.

Wrth i Gethin fwyta ei dost, heb awch o gwbwl,

gofynnodd Gransha iddo a oedd rhywbeth yn bod. Gwadu oedd ymateb cyntaf Gethin. Ond, o dipyn i beth, adroddodd sut yr heriodd Nathan, gan fod yn ofalus rhag sôn gormod am Caitlin, a dim o gwbwl am ei gyfnod 'nôl yn y gorffennol gyda Guto. Goleuodd llygaid Gransha wrth glywed yr hanes. Roedd wrth ei fodd fod Gethin wedi bod mor ddewr. Ond doedd Gethin ei hun ddim yn teimlo'n ddewr o gwbwl erbyn hyn. Roedd hyder ddoe wedi diflannu. Pa obaith oedd ganddo i guro Nathan mewn gwirionedd?

"*I'll help you, mun*," dwedodd Gransha'n eiddgar.

A dechreuodd ei dad-cu sôn am sut y gallai roi cyngor iddo. Dim ond hanner gwrando roedd Gethin, am nad oedd byth yn siŵr beth i'w gredu o enau ei dad-cu. Doedd Gransha erioed wedi gadael i'r gwirionedd darfu ar stori dda. Roedd e'n taeru, er enghraifft, ei fod yn medru rhedeg yn gynt gydag un goes gam wedi damwain yn y pwll glo na'r rhan fwyaf o ddynion oedd yn berchen ar ddwy goes iach, ac nad oedd bron byth yn gorfod talu am ei gwrw oherwydd bod rhywun wastad digon dwl i'w herio i ras rhwng y White Lion a'r Crown.

Syllodd Gethin ar ei dad-cu, wrth iddo rygnu 'mlaen am ei hoff athletwr, ei arwr mawr Emil Zátopek, a sut y syfrdanwyd y byd athletau gan y dyn bach rhyfedd yma; sut roedd yn arfer ymarfer mewn sgidiau mawr trymion yn lle sgidiau rhedeg normal; a sut roedd weithiau yn rhedeg yn gyflym o gwmpas y trac wyth deg – ie, wyth deg o weithiau ar ôl ei gilydd, er mwyn cryfhau a dod yn fwy heini.

Y mwyaf y syllai Gethin ar ei dad-cu, y mwyaf roedd hwnnw'n ymdebygu i Hen Ŵr y Coed, nes yn y diwedd doedd dim posib gwahaniaethu rhyngddyn nhw. A dyna pryd sylweddolodd Gethin y dylai – am unwaith – wrando arno.

"Ocê, iawn. Beth am i ni ddechrau dydd Llun? Dwi ddim yn gorfod mynd i'r ysgol am ei bod yn ddiwrnod hyfforddiant mewn swydd."

Cytunodd y ddau mai'r peth doethaf fyddai cadw hyn rhag mam Gethin. Byddai hi'n siŵr o wrthwynebu. Cyfrinach Grasha a Gethin fyddai hon, felly.

Ac roedd rhywbeth yn braf am hynny.

25

Pan ddwedodd Gransha wrtho ei fod wedi trefnu i hen ffrind ddod i'w gasglu ar gyfer eu sesiwn ymarfer gyntaf, y peth dwethaf roedd Gethin yn ei ddisgwyl oedd gweld lorri sgip yn parcio y tu allan i'r drws. Roedd y lorri, fel y perchennog, wedi gweld dyddiau gwell. Ar ochr y lorri roedd y geiriau 'W. D. Jones Waste Management', er ei bod hi'n anodd eu darllen am fod y llythrennau wedi pylu. Roedd Mr W. D. Jones, os rhywbeth, yn edrych yn hŷn na Gransha, a bron mor sigledig. Suddodd calon Gethin. Gwastraff amser llwyr fyddai heddiw.

Gyrrodd Gransha ei sgwter arbennig – i bobl oedd yn cael trafferth cerdded – i lawr y ramp allan o'r tŷ. Dilynodd Gethin e, yn ei ddillad rhedeg.

"*Billy, you old mucker. How's tricks?*" gofynnodd Gransha. "*This is the grandson, Gethin.*"

"*Alright, butt?*" gofynnodd Billy, cyn helpu Gransha i'w

draed ac ac i mewn i gaban y lorri, ac yna llwytho'r sgwter ar y cefn.

"*Hop in, then,*" dwedodd Billy wrth Gethin, gan ddringo yn ffwndrus i sedd y gyrrwr. Ymunodd Gethin â Gransha. Roedd caban y lorri yr un mor ddi-sglein â'r gweddill, ac roedd arogl llwydni yn drwm ynddo.

"*It's a bit shang-di-fang in 'ere, I know. But the old lovely still goes, that's the main thing,*" dwedodd Billy, wrth yrru i ffwrdd.

Curodd calon Gethin fymryn yn gynt. Oedd Billy wir wedi defnyddio hen ddywediad Cymraeg?

"*He speaks Welsh, mun,*" dwedodd Gransha wrth Billy, yn ei brocio.

"*Proper Welsh, most likely. Not like mine. Don't speak it much these days anyway,*" dwedodd Billy.

"O ble chi'n dod?" gofynnodd Gethin iddo.

"*Top of the valley,*" atebodd Billy. Yn Saesneg.

"Y Rhondda Fach neu'r Rhondda Fawr?" gofynnodd Gethin.

"*Told you 'e was a nosy little so-and-so,*" chwarddodd Gransha, wrth ei fodd fod Gethin yn dangos diddordeb.

"O'r Rondda Fêch," atebodd Billy, y tro hwn yn Gymraeg. Ac nid yn unig yn Gymraeg, ond roedd yn swnio'n debyg i Guto! Gwelodd Billy y syndod ar wyneb Gethin.

"*Told you I speak funny,*" dwedodd Billy, braidd yn amddifynnol.

"Dwi ddim yn meddwl fod e'n od. Wy'n lico fe. O'n i ddim yn gwbod bod pobl yn dal i siarad fel 'ny, dyna i gyd," esboniodd Gethin. Meddalodd wyneb Billy.

"*Last of the Mohicans, we are, see.* Llond llaw sy ar ôl racor, yn wilia fel fi. A pob un o ni mor hen â'r mynyddoedd erbyn hyn. Cwmrêg y Gloran oedd yr unig Gwmrêg oedd gynto Mam, t'wel. Achos yn wahanol i'r Cymry dŵad, roedd ei thwlwth hi i gyd – digwydd bod – yn dod o'r cwm a'r cyffinia. Ochor ei mam ac ochor ei thêd."

Gwenodd Gethin o glust i glust. Roedd clywed acen Billy fel cwrdd â hen ffrind.

"O ble?" gofynnodd Gethin.

"Teulu Mam-gu o Flaenllecha. A theulu Dad-cu o Lanwynno," esboniodd Billy.

"*My grannie was from Llanwynno. On my mother's side. Mam-gu she was to me as well, like. 'Ell of a character she was,*" dwedodd Gransha'n sydyn.

"Llanwynno?" gofynnodd Gethin, yn methu credu ei glustiau.

"*Aye. Lived in this little cottage up in the sticks all by herself. No toilet or running water in the 'ouse. Wouldn't speak nothing but Welsh to me. Smoked a pipe and all,*" dwedodd Gransha, gan wenu wrth gofio amdani.

Dim rhyfedd felly fod Grasha yn deall rhywfaint o Gymraeg, er nad oedd ei fam wedi dysgu'r iaith iddo. Aeth Gransha ymlaen i esbonio bod teulu ei dad-cu wedi symud yma o swydd Durham yng Ngogledd Lloegr, ond doedd Gethin ddim yn cymryd llawer o sylw ohono erbyn hynny.

Y cyfan oedd yn mynd trwy feddwl Gethin oedd y posiblirwydd bod ei hen fam-gu yn or-or-or-or wyres i rywun roedd e wedi cwrdd â nhw dair canrif yn ôl. Efallai ei fod yn perthyn i Guto, hyd yn oed! Ond cyn iddo gael cyfle i gynhyrfu gormod, ychwanegodd Gransha:

"*Mam-gu's family weren't from round 'ere either, mind. They came down from the Beacons.*"

"Llanfrynach?" cynigiodd Gethin. Yn reddfol, roedd yn gwybod ei fod yn gywir.

"*That's right. We went there once lookin for the old place. Had a meal in the pub. I'm amazed you remember. Only a small little thing you were,*" atebodd Gransha.

Roedd pen Gethin yn troi. Roedd ei wreiddiau yn Llanfrynach go iawn, felly. Ac, yn fwy diweddar, yn Llanwynno!

"Beth am yrru lan i'r topia 'na heddi?" cynigiodd Billy. "Lle dê i ritag yw Llanwynno."

"Lle dê ofnatw," cytunodd Gethin mewn chwinciad, heb sylwi ei fod wedi llithro mewn i'r dafodiaith. Edrychodd Billy arno'n syn cyn dechrau chwerthin yn braf.

~

Roedd Gransha wedi'i siarsio i beidio cychwyn yn rhy gyflym a doedd Gethin ddim eisiau gwthio ei hun ormod chwaith, felly dyma ddechrau drwy loncian a cherdded bob yn ail, a Gransha yn gyrru ar ei bwys ar ei sgwter arbennig. Roedd y lôn fynydd yn syth a chymharol wastad, wedi i Billy yrru fyny'r rhiwiau serth a'u gollwng ar y 'topia'.

Teimlad rhyfedd ar y naw oedd bod 'nôl reit ym mherfedd yr hen blwyf. Roedd y lle mor gyfarwydd, ond eto yn ddiarth yr un pryd. Oedd, roedd Ynys-y-bŵl wedi tyfu cryn dipyn, a gwyddai Gethin o edrych ar y map fod ambell le ar y cyrion wedi tyfu o ddim bron, llefydd fel y Porth, y Graig Wen ac Abercynon. Heblaw am hynny, roedd Llanwynno yr un mor wledig ag yr oedd adeg Guto. Roedd Gethin yn hanner disgwyl teimlo presenoldeb ei hen ffrindiau, ond heblaw am y gwynt main, roedd e'n methu teimlo dim. Dechreuodd gyflymu er mwyn cadw'n gynnes.

Er bod Gransha'n mynnu cadw llygad barcud ar y ffordd, dim ond un car oedd wedi'u pasio yr holl amser. A heblaw am ddwy ddynes ar feic mynydd a chwifiodd arnynt wrth basio, doedden nhw ddim wedi gweld yr un enaid byw. Roedd Gethin yn dechrau mwynhau. Gallai deimlo'r egni'n llifo trwy ei gorff – y gwaed yn pwmpio'n gryf a'i goesau'n symud i rythm llyfn.

"*Let's get off the road,*" cynigiodd Gransha, gan bwyntio at lwybr oedd yn gwyro i mewn i goedwig. Doedd Gethin ddim yn cofio gweld coedwig o'r fath ganrifoedd yn ôl, a doedd chwaith ddim yn adnabod y coed bytholwyrdd oedd yn sefyll yn unionsyth mewn rhesi bob ochr i'r llwybr. Ond wrth i'r llwybr ddisgyn, gwelodd oddi tano olion un o'r hen goedwigoedd a fu unwaith yn gorchuddio glannau'r nentydd a'r afonydd, a'r llethrau oedd yn rhy serth i'w ffermio. Gwelodd goed derw, cyll a ffawydd, i enwi dim ond tri math. Roedd Gethin yn dal i ryfeddu pa mor hawdd roedd yn medru enwi'r gwahanol goed. Fyddai ddim clem ganddo ychydig yn ôl. Roedd Guto wedi agor ei lygaid i'r byd o'i gwmpas. Teimlodd bwl o hiraeth, fel gwayw yn ei ochr.

"*You look a bit iffy. Better stop a minute. Don't want to overdo it,*" dwedodd Gransha.

Roedd Gethin ar fin stopio ond, yn sydyn, clywodd sŵn plant yn chwerthin yn y pellter. Clustfeiniodd. Dim byd. Ai wedi dychymygu roedd e? Dyna'r sŵn eto, yn dawnsio'n ysgafn ar y gwynt. Guto a'r lleill oedd yno, yn disgwyl amdano. Heb os nac oni bai.

Dechreuodd Gethin redeg eto, er gwaethaf protestiadau ei dad-cu. Wrth iddo gyflymu, roedd Gransha yn cael trafferth dal i fyny, hyd yn oed ar ei sgwter.

"*Hold your 'orses, mun!*" bloeddiodd.

Ond yr unig beth fedrai Gethin ei glywed oedd sŵn ei draed yn crenshian ar y llwybr, a'r sŵn chwerthin oedd yn prysur agosáu. Dechreuodd y goedwig o'u gwmpas deneuo, a gwelodd Gethin lecyn agored o'i flaen. Adnabyddodd y lle yn syth. Fferm Daerwynno!

Gwthiodd ei hun i'r eithaf. Roedd yn ysu am gael gweld ei hen ffrindiau ac roedd yn siŵr eu bod nhw ar binnau hefyd. Ond hyd yn oed cyn cyrraedd synhwyrodd fod rhywbeth o'i le. Ie, dacw'r fferm – doedd dim dwywaith am hynny. Tŷ sgwâr twt a grisiau cerrig ar ochr yr adeilad yn mynd fyny i'r llofft. Ond roedd y drws a'r ffenestri wedi'u paentio'n wyrdd. A phob dim yn edrych yn llawer rhy newydd.

Gwelodd griw o blant ysgol mewn dillad arbennig yn stryffaglu i fyny wal ddringo. Y nhw oedd yn chwerthin. Doedd dim golwg o Guto, na'r lleill. Wrth gwrs nad oedd. Sut allai Gethin fod mor dwp? Roedd y gorffennol wedi darfod a drws amser wedi'i gau.

Syllodd y plant arno'n syn. Teimlodd Gethin y siom yn ei frathu. Dechreuodd redeg 'nôl, y byd o'i gwmpas yn niwlog oherwydd y dagrau oedd yn cronni. Sylwodd ddim ar gangen gas oedd yn gwthio allan i'r llwybr a rhedodd yn syth mewn iddi. Gwingodd, a dechreuodd lowcio'r aer oer. O fewn dim, roedd ei frest wedi tynhau. Roedd fel pe bai rhywun wedi arllwys llond bag o friwsion gwydr miniog i mewn i'w ysgyfaint. Doedd dim posib rhedeg cam arall.

Syrthiodd Gethin i'w bengliniau. Reit o flaen sgwter Gransha.

26

Dynes gyfeillgar iawn oedd y meddyg. Ceisiodd mam Gethin esbonio popeth wrthi heb adael i'w mab agor ei geg. Mynnodd y meddyg holi Gethin ei hun ynglŷn â'i symptomau. Yn lle sôn am y daith i Lanwynno gyda Gransha a Billy, honnodd Gethin ei fod wedi cael pwl ar ôl rhedeg i ddal y bws.

Gofynnodd y meddyg iddo ddisgrifio sut roedd y pyliau'n teimlo, cyn mynd ati i'w archwilio'n drylwyr. Yna gofynnodd iddo chwythu mewn i declyn rhyfedd yr olwg, oedd yn rhyw fath o groes rhwng pibell blastig a jwg mesur. Anadlodd Gethin yn ddwfn cyn chwythu. Sgwenodd y doctor nodiadau cyn gofyn i Gethin chwythu eto a'i siarsio i wneud ei orau glas y tro hwn. Anadlodd Gethin yn ddwfn yr eilwaith cyn chwythu nerth ei ysgyfaint – cymaint nes oedd yn gwichian. Sgwennodd y doctor nodyn arall cyn dweud wrth Gethin ei bod bellach yn weddol sicr beth oedd o'i le: roedd ganddo asthma.

Yr eiliad y clywodd hyn, crebachodd ei stumog. Asthma! Rhaid mai dyma oedd wedi'i lorio ar Noson Calan Gaeaf hefyd.

Doedd prin yn gwrando ar y meddyg wrth iddi esbonio y byddai'n cael dau bwmp gwahanol i drin y cyflwr, un brown i atal yr asthma ac un glas i'w gymryd pan oedd ei frest yn teimlo'n dynn. Ac er iddi ei sicrhau nad oedd rheswm yn y byd pam na ddylai gymryd rhan mewn gweithgareddau corfforol, cyn belled â'i fod yn defnyddio'r ddau bwmp yn gydwybodol, roedd Gethin eisoes wedi perswadio ei hun na fyddai byth, byth yn medru rhedeg eto.

Roedd y freuddwyd ar ben. Gallai anghofio am y ras.

~

Arhosodd Gethin yn ei stafell y bore canlynol. Roedd wedi cael caniatâd gan ei fam i aros adref i 'orffwys'. Doedd dim awydd arno i wneud dim. Er ei fod wedi dechrau defnyddio'r pwmp asthma, doedd ddim yn teimlo llawer o wahaniaeth. Doedd ei fam ddim yn meddwl llawer o gyngor y doctor ac wedi rhybuddio Gethin i beidio â gwneud unrhyw ymarfer corff, rhag ofn. Doedd Gethin ddim yn meddwl fod ganddi le i boeni – wedi'r cwbwl, fyddai e ddim yn medru rhedeg cam eto, p'run bynnag, oherwydd yr asthma.

Tra oedd yn gorwedd ar ei wely yn meddwl pa mor wir oedd pregeth gyson ei fam nad oedd bywyd yn deg, clywodd lais Gransha yn galw arno:

"Come down 'ere a minute, there's a good boy!"

Aeth Gethin i lawr i'r gegin, gan gredu fod Gransha angen ei help. Ond doedd dim angen dim arno. I'r gwrthwyneb. Roedd yn wên o glust i glust. Roedd Gransha wedi bod yr holl ffordd i lyfrgell y dref ar ei sgwter ac wedi dod o hyd i lawer o bethau diddorol a dadlennol am asthma, ac wedi gofyn i'r llyfrgellydd eu llungopïo.

Roedd Gransha yn ysu am i Gethin ddarllen y deunydd

oedd yn profi bod llawer iawn o bobl lwyddiannus yn y byd chwaraeon yn dioddef o'r cyflwr.

"*If they can do it, so can you,*" dwedodd yn daer.

Rhoddodd Gransha yr erthyglau i Gethin gan ei siarsio i fynd â nhw i'w stafell cyn i'w fam ddod 'nôl o'r siopau. Diolchodd Gethin iddo am wneud gymaint o ymdrech i'w helpu, ond doedd e ddim wir yn gweld ei hun yn rhedeg gydag asthma.

Wrth iddo gychwyn am y grisiau, clywodd ddrws y tŷ yn agor. Heb feddwl, gwibiodd i fyny rhag i'w fam sylwi ar yr hyn oedd yn ei ddwylo.

"Gan bwyll! Gei di ddolur!" gwaeddodd ei fam.

Ond roedd Gethin eisoes wedi cyrraedd pen y grisiau erbyn hynny. Caeodd y drws yn glep a hyrddio ei hun ar y gwely, gan fynd ati i ddarllen pob erthygl o'r pennawd i'r paragraff clo.

Ac roedd yn werth gwneud. Yn ôl un erthygl, er bod asthma ar un o bob deg o bobl yn y DU, roedd un o bob tri seiclwr proffesiynol, un o bob dau sgïwr traws gwlad, a hyd yn oed nifer uwch o nofwyr safon rhyngwladol yn dioddef o'r cyflwr.

Ond pan gyrhaeddodd yr erthygl olaf un, eisteddodd i fyny'n sydyn, fel pe bai rhywun wedi'i binsio. Sôn oedd yr erthygl am Paula Radcliffe, rhedwraig enwog o Loegr a dorrodd record y byd yn rhedeg marathon Llundain, er gwaetha'r ffaith fod ganddi asthma. Wrth gwrs! Roedd Gethin wedi darllen amdani'n rhywle o'r blaen, a sut y llewygodd wrth iddi hyfforddi a hithau tua'r un oed ag yr oedd Gethin nawr, a darganfod ei bod yn dioddef o'r cyflwr. Os oedd hi'n medru ei reoli – a thorri record byd – does bosib na fyddai Gethin yn medru cystadlu mewn ras fach leol!

Yn sydyn, sylweddolodd Gethin nad oedd ei frest wedi'i boeni trwy'r dydd, hyd yn oed ar ôl iddo ruthro i fyny'r grisiau i'w stafell. Roedd y pwmp asthma wedi dechrau gweithio'n barod, mae'n rhaid. Efallai nad oedd y syniad o gymryd rhan yn y ras mor ddwl wedi'r cwbwl.

~

Doedd gan Gethin ddim clem sawl lap o'r parc oedd ar ôl, ond roedd ei goesau'n brifo, fe wyddai hynny. Y syniad oedd ceisio rhedeg yr un cwrs yn gyfforddus o gyflym – ond heb wthio'i hun i'r eithaf – dro ar ôl tro ar ôl tro, gyda Gransha'n ei amseru.

"Keep it up. Only one to go!" bloeddiodd hwnnw wrth i Gethin ei basio am y milfed tro, neu o leiaf roedd yn teimlo felly. Ceisiodd Gethin ymlacio, a gadael i'w goesau wneud y gwaith. Wedi'r cwbwl, roedden nhw'n hen gyfarwydd â'r llwybr erbyn hyn.

Roedd Gethin wedi bod yn ymarfer ar y slei ers rhai wythnosau bellach, a Gransha yno ar ei ochr, yn driw i'w air. Gethin oedd wedi cynllunio'r amserlen ymarfer ond roedd yn help mawr fod Gransha yno i'w amseru a'i annog pan fyddai'n blino – yn union fel y bu Gethin yn ei dro yn annog a sbarduno Guto. Er nad oedd cymhariaeth o ran cyflymdra a ffitrwydd rhyngddo a Guto, roedd Gethin serch hynny'n falch iawn gyda sut roedd yr ymarfer yn mynd. Yn sicr, roedd ganddo dalent, ac roedd e wirioneddol yn mwynhau.

Wrth iddo redeg o gwmpas y gornel olaf, bu bron iddo

daro i mewn i ryw ferch dal oedd yn cerdded o'i flaen. Llwyddodd i'w hosgoi.

"Gethin!" galwodd rhywun ar ei ôl.

Doedd ddim eisiau arafu achos dim ond rhyw bum deg metr oedd ganddo ar ôl, ond ni allai anwybyddu'r llais. Stopiodd. Trodd a gweld mai Caitlin oedd yno. Syllodd arni'n syn. Doedd heb ei hadnabod am ei bod yn gwisgo siwt karate wen.

Edrychai'n wahanol, gyda'i gwallt wedi'i dynnu yn ôl yn dynn. Doedd dim masgara ar ei llygaid na minlliw ar ei gwefusau. Sythodd Caitlin ei siwt, ychydig yn chwithig, ac osgoi ei lygaid. Am eiliad, nid Caitlin hyderus oedd o'i flaen ond Catws, yn drwsgwl ac yn swil. Sylweddolodd Gethin nad oedd wedi troi'n goch. Os rhywbeth, roedd tinc o wrid ar fochau Caitlin.

"Mae'r siwt 'ma hyd yn oed mwy di-siâp na'r wisg ysgol."

"Ers pryd wyt ti'n neud karate?" gofynnodd Gethin.

"Ers o'n i'n fach, ond does neb yn o'r ysgol yn gwybod," atebodd Caitlin. "Ddim hyd yn oed Nathan. Falle ddweda i wrtho fe pan dwi 'di cael belt du," ychwanegodd.

"Pa liw wyt ti nawr?" gofynnodd Gethin.

"Brown," atebodd Caitlin. "A cyn i ti ofyn, du sydd nesa."

Chwarddodd Gethin. Byddai Caitlin yn feistr ar bob bachgen yn y dosbarth, bron. Yn union fel Catws.

"Ti'n synnu, dwyt ti?" gofynnodd Caitlin.

"Dim mewn gwirionedd," atebodd Gethin, heb esbonio mwy. Byddai Caitlin ddim yn ei gredu petai'n dweud wrthi. Fyddai neb.

"O'n i bron ddim wedi nabod ti, chwaith," dwedodd hi.

"Ti'n rhedeg yn rili dda."

"Ie, wel, dwi 'di bod yn ymarfer," dwedodd Gethin, yn falch o'i chanmoliaeth ond eto yn gyndyn o ddweud gormod rhag iddi adrodd 'nôl wrth Nathan.

"Paid gweud wrth neb am y karate," dwedodd Caitlin yn sydyn.

"Wna i ddim, os gwnei di gadw'n dawel ymbytu fi'n ymarfer gymaint," atebodd Gethin, cyn sylwi fod Gransha yn agosáu yn y pellter, yn edrych amdano. "Rhaid i fi fynd. Gweld ti," dwedodd Gethin yn frysiog ac ailgychwyn rhedeg.

"Ro'n i rili'n hoffi'r anrheg. Yr un wnest ti i fi," dwedodd Caitlin, ond chlywodd Gethin ddim am ei fod wedi rhedeg i ffwrdd mor sydyn.

Roedd Gransha'n disgwyl amdano, yn eiddgar.

"*Who was that then?*" gofynnodd.

"Jest rhywun o'r ysgol," atebodd Gethin.

"*Nice looking girl*," dwedodd Gransha, gan edrych i fyw llygaid Gethin. Doedd e ddim am i'w dad-cu fusnesu rhagor felly awgrymodd y dylen nhw gychwyn am adre'n syth.

Tua hanner ffordd dechreuodd fwrw glaw'n drwm. Roedd y ddau'n wlyb diferu o fewn dim. Doedd dim ots gan Gethin, na Gransha chwaith, er nad oedd e prin yn medru gweld lle roedd e'n mynd trwy'r glaw. Dechreuodd ganu pytiau o ganeuon yn ymwneud â'r glaw yn uchel i bobl oedd yn pasio gan gynnwys '*I'm singin' in the rain* ...' a '*Raindrops keep falling on my head* ...' Roedd rhai'n edrych yn gam arno, eraill yn ymuno ag e.

Y peth cyntaf roedd rhaid gwneud ar ôl cyrraedd adref oedd newid, sychu a chuddio'r dillad gwlyb. Byddai Gransha yn mynd â nhw i'r londrét fory, rhag i fam Gethin ddod i wybod. Yna, sychodd Gethin y sgwter yn hollol sych, am yr un rheswm.

Pan ddaeth ei fam adre, roedd y ddau'n gwylio'r teledu, gan eistedd yn gysurus ar y soffa. Trawodd ei phen drwy'r drws.

"Y'ch chi 'di bod o fla'n y set 'na drw'r dydd?" gofynnodd hi.

"Beth arall ni fod neud? Drycha ar y tywydd, Mam," atebodd Gethin.

"*Aye. It's tippin it down, mun*," ategodd Gransha.

Gan dwt-twtian, caeodd ei fam y drws. A dechreuodd y ddau chwerthin yn isel, rhag iddi glywed.

27

Agorodd Gethin ddrws y tŷ gyda'i allwedd. Roedd ei fam yn gweithio'n hwyr heno felly roedd ei dad-cu ac yntau wedi trefnu mynd allan i redeg yn syth ar ôl ysgol. Yn amlwg, nid rhedeg fyddai Gransha ond dilyn ar ei sgwter gan amseru pa mor gyflym roedd Gethin yn mynd.

"Gransha! Wy 'nôl!" gwaeddodd.

"Yn y gegin!" oedd yr ateb. Ei fam oedd yno. Rhyfedd. Aeth Gethin trwyddo i'r gegin.

"Ble mae Gransha?" gofynnodd Gethin, gan weld eiliad yn ddiweddarach fod llygaid ei fam yn goch.

"Yn yr ysbyty," atebodd, gan sychu ei dagrau, "yn sâl iawn."

Roedd Gethin eisiau rhoi ei fraich amdani. Ond doedd e ddim yn gallu symud. Roedd wedi rhewi i'r unfan.

Cododd ei fam o'r gadair.

"Wy'n gorfod mynd draw nawr. Wyt ti am ddod gyda fi neu aros yma?" gofynnodd.

Ceisiodd Gethin siarad, ond daeth ddim smic allan o'i geg.

"Wy'n mynd lan stâr i newid. Well i ti benderfynu erbyn ddof i 'nôl lawr," dwedodd, cyn cerdded allan o'r gegin.

Doedd Gethin ddim yn siŵr a allai wynebu mynd i'r ysbyty, ond efallai byddai aros adref ar ei ben ei hun hyd yn oed yn waeth.

~

Roedd y gadair blastig yn gwneud sŵn pob tro y symudai Gethin, felly ceisiodd eistedd mor llonydd â phosib, am nad oedd eisiau tynnu sylw ato'i hun.

Roedd wedi bod yn eistedd yno yng nghoridor y ward lle roedd Gransha ers tipyn, gan fod ei fam wedi mynd i siarad â'r nyrs oedd yn gofalu amdano. Daeth hen ddyn heibio, yn pwyso ar fraich dyn ifanc oedd wedi siafio ei ben. Roedd pennau'r ddau'n hollol foel. Ceisiodd Gethin beidio syllu arnyn nhw ond roedd rhywbeth mor od am y ffordd roedd eu pennau'n sgleinio yng ngolau llachar y coridor fel na allai beidio. Sylwodd yr hen ddyn a gwenu arno. Edrychodd Gethin i ffwrdd.

O'r diwedd, daeth ei fam i'w gasglu. Er iddi geisio sicrhau Gethin fod Gransha mewn dwylo da iawn, roedd y gofid yn amlwg ar ei hwyneb llwyd.

"Be sy'n bod arno fe?" gofynnodd Gethin yn bryderus.

"Niwmonia," atebodd ei fam. "Fel ffliw ond lot yn waeth."

Efallai fod Gransha wedi mynd yn sâl ar ôl gwlychu gymaint y tro hwnnw ar y ffordd adref o'r parc, meddyliodd. Teimlodd Gethin ei ysgyfaint yntau'n tynhau. Estynnodd Gethin am ei bwmp asthma. Dyna welliant. Ond roedd yr euogrwydd yn dal yno.

"Ydi e ... ydi e'n mynd i fod yn ocê?" gofynnodd Gethin, yn ofni ateb ei fam ond, ar yr un pryd, roedd yn gorfod cael gwybod.

"Mae'n rhy gynnar i ddweud," atebodd, "ond roedd y nyrs yn swnio'n eitha positif," ychwanegodd.

Doedd Gethin ddim yn siŵr a oedd ei fam yn dweud y gwir, neu dim ond yn ceisio codi ei galon.

Wrth i Gethin gerdded i mewn i'r ward, roedd yn ofalus i beidio syllu gormod ar y cleifion eraill oedd yno, a chadwodd yn agos at ei fam. Pan gododd ei lygaid gwelodd Gransha yn y gwely ar ddiwedd y rhes. Roedd ei lygaid ar gau ac roedd yn cael trafferth anadlu. Eisteddodd ei fam, gan amneidio arno i wneud yr un peth. Gafaelodd ei fam yn llaw Gransha a'i chusanu, ond doedd e ddim fel pe bai'n sylweddoli eu bod nhw yno, hyd yn oed.

Sibrydodd llais bach maleisus ym mhen Gethin y byddai Gransha'n marw, ac ar Gethin fyddai'r bai.

28

Ond roedd Gethin wedi anghofio pa mor wydn roedd Gransha. Doedd e ddim yn mynd i adael i bwl o niwmonia gael y gorau ohono. Ar ôl deg diwrnod, roedd 'nôl adre, mewn da o bryd ar gyfer gwyliau'r Nadolig. Roedd yn dda gan Gethin weld bod ei fam yn gwneud cymaint o ffys o Gransha, yn lle canolbwyntio ei sylw arno fe o hyd. A daeth yn amlwg nad oedd Gransha yn beio Gethin o gwbwl am yr hyn oedd wedi digwydd.

Ar ddiwrnod cynta'r gwyliau daeth ymwelydd annisgwyl i'r tŷ. Doedd Billy Skips heb alw o'r blaen – yn sicr nid ers i Gethin a'i fam symud i fyw at Gransha. Roedd Gethin yn falch o'i weld, a Billy yn falch o'i weld yntau hefyd am iddo'i gyfarch gyda llond ceg o Gymraeg Cwm Rhondda. Syllodd Helen ar Billy yn syn. Doedd hi erioed wedi'i glywed yn siarad Cymraeg. Ond y peth a'i synnodd fwyaf oedd bod Gethin a Billy yn amlwg yn adnabod ei gilydd.

"Gwrddon ni y diwrnod 'na aethon ni i Lanwynno," dwedodd Gethin, heb feddwl, gan ddifaru'n syth.

"Pryd fuest ti yn Llanwynno?" gofynnodd ei fam.

Roedd calon Gethin yn curo'n gyflym, a'i frest yn tynhau. Roedd wedi rhoi ei droed ynddi go iawn y tro hyn.

"Wel?" gofynnodd eto, braidd yn ddiamynedd, fel pe bai'n dechrau synhwyro bod rhyw ddrwg yn y caws. Ond roedd meddwl Gethin yn hollol wag, a'i dafod yn dew. Gallai deimlo ei galon yn pwnio ei frest, a honno'n dechrau gwichian.

"Ethon ni am drip bêch i ddangos y plwy i Gethin, gan fod

ei hen fam-gu wedi byw 'na," dwedodd Billy yn sydyn.

"*That's right. And to show him where Guto Nyth Brân came from, like. You know – for his school project*," ategodd Gransha.

Roedd meddyliau'r ddau henwr yn fwy chwim nag un Gethin, oedd yn dal i drio dod o hyd i eiriau addas. Goleuodd llygaid Helen.

"Am syniad lyfli."

"Bobby ofynnws i fi. Fedrwn i ddim gwrthod," dwedodd Billy, gan daflu winc at ei gyfaill.

"*That was very thoughtful*," dwedodd Helen wrth Gransha, cyn troi at Gethin. "Pam na faset ti wedi dweud rywbeth?"

"Anghofies i," atebodd Gethin yn dila.

"Be wna i 'da ti, dweda?" holodd ei fam, cyn mynd i'r gegin i wneud paneidiau i bawb.

"*That was a close one*," dwedodd Gransha. A dechreuodd y ddau henwr biffian chwerthin fel plant drygionus. Cymerodd Gethin ei bwmp glas i dawelu ei frest. Agorodd Gransha y bocs siocledi daeth Billy yn anrheg a'u cynnig. Dewisodd Gethin siocledyn gwyn. Toddodd ar ei dafod, ac wrth iddo'i lyncu roedd y melyster yn llithro i lawr i'w stumog ac yn lliniaru ei frest bron cystal â'r pwmp.

"Detho i â rwpath bêch i titha, 'fyd," dwedodd Billy, gan estyn pecyn i Gethin. Ar ôl diolch iddo, agorodd Gethin y pecyn. Wedi'i lapio yn ofalus roedd hen lyfr o'r flwyddyn 1888, yn dwyn y teitl *Plwyf Llanwyno: Yr Hen Amser, Yr Hen Bobl a'r Hen Droeon*.

"Un Mam-gu oedd a. Ro'dd hi'n trysori'r llyfr. Anrheg wrtho 'i thêd, t'weld." Esboniodd Billy. "Wy'n siŵr bydda hi 'di lico i ti gêl a."

"Wna i edrych ar ei ôl e'n ofalus," addawodd Gethin, gan fyseddu'r clawr llychlyd, wedi'i gyffwrdd i'r byw gan y fath anrheg bersonol.

~

Rhoddodd Gethin y llyfr ar fraich y soffa. Roedd wedi'i orffen, a hynny ar fore'r Nadolig. Roedd arddull y llyfr ychydig yn flodeuog a hirwyntog, a'r iaith ychydig yn anghyfarwydd ar brydiau, ond llarpiodd Gethin bob gair, serch hynny. Roedd ei fam wedi grwgnach sawl gwaith nad oedd yn gwneud dim heblaw eistedd â'i drwyn yn y gyfrol. Dim ond smalio oedd hi mewn gwrionoedd am ei bod yn falch o'i weld yn cymryd y fath ddiddordeb. Profiad chwerw felys fu darllen y llyfr i Gethin. Ar un llaw, roedd yn wych medru dysgu mwy am ardal oedd mor agos i'w galon a chael ei atgoffa o'i amser yno, gan fod llawer iawn o'r hen arferion yn dal ar gof a chadw pan gafodd y llyfr ei sgwennu. A'r cof am Guto hefyd yn dal yn fyw. Ond ar y llaw arall, roedd ail-fyw pob dim yn boenus, fel agor hen glwyf.

Llenwodd ei ffroenau gydag arogl y cinio Nadolig yn treiddio o'r gegin. Clustfeiniodd. Roedd rhyw sŵn annarferol yn dod oddi yno hefyd. Gwenodd wrth sylweddoli mai ei fam oedd yn canu iddi'i hun yn hapus. Roedd hi wedi penderfynu dathlu'r ŵyl mewn steil am unwaith ac wedi bod yn gweithio oriau ychwanegol er mwyn medru fforddio twrci mawr a'r holl fwydydd eraill roedd wedi'u prynu.

Am y byddai hi'n brysur yn paratoi drwy bore'r Nadolig, ar ôl cinio byddai pawb yn agor eu anrhegion eleni. Doedd dim ots gan Gethin o gwbwl. Roedd rhywbeth braf am orfod disgwyl, rywsut. P'run bynnag, y noson cynt pan oedd mam Gethin yn gwneud y siopa munud ola, roedd Gransha wedi rhoi anrhegion cyfrinachol iddo – crys a sgidiau rhedeg drud, ac wedi siarsio Gethin i'w cuddio yn rhywle diogel cyn i Helen ddychwelyd.

"Dim ond un seren ... un seren ..." canai ei fam wrth chwyrlïo i mewn i'r stafell fyw. Bu bron i Gethin syrthio oddi ar y soffa. Nid yn unig roedd hi'n canu ond roedd hi'n dawnsio! Cydiodd ei fam ynddo a'i dynnu i'w draed, cyn ei droi mewn walts ddigon di-glem o gwmpas y stafell.

"*Been at the sherry already, 'ave you?*" gofynnodd Gransha yn gellweirus, gan wthio ei ben drwy'r drws.

"*I'll leave that to you,*" atebodd Helen, yn chwimwth, gan adael i Gethin fynd. Chwarddodd Gransha, gan ddangos y bylchau rhwng ei ddannedd.

"*And put your teeth in while you're at it. Food's almost ready.*"

Chwarddodd Gransha eto, gan rwbio ei fol yn awchus fel pe bai ar lwgu.

Roedd angen ei ddannedd ar Gransha hefyd. Doedd Gethin ddim yn cofio gweld y fath wledd adeg Nadolig o'r blaen. Bwytaodd lond plât a chafodd ragor hefyd. Roedd pob dim mor flasus.

"Cofia adael lle i'r pwdin," rhybuddiodd ei fam.

"Fwyta i'r pwdin, paid poeni. A mins-peis nes 'mlaen."

"Wy 'di sylwi dy fod ti'n bwyta yn llawer gwell yn ddiweddar 'fyd. Sa i'n gwybod lle wyt ti'n ei roi e i gyd achos mi wyt ti fel styllen o denau."

Gwyddai Gethin yn iawn pam nad oedd e'n magu pwysau – roedd yn llosgi gymaint o galorïau wrth redeg.

"*You couldn't 'alf put it away yourself, mind,*" dwedodd Gransha wrthi, a'i geg yn llawn o dwrci. "*And I'm not just talkin' 'bout food either,*" ychwanegodd, gan wincian at Gethin.

"Dad!" ceryddodd Helen, ond roedd ei llygaid yn chwerthin.

"*Remember that Christmas you finished off your mother's Babycham? Livid, she was.*"

A dechreuodd Gransha adrodd hanesion am helyntion Helen pan oedd hi yn ei harddegau. Roedd rhai ohonyn nhw'n ddigon o syndod, yn enwedig yr un amdani hi a'i ffrind yn sleifio i Gaerdydd i weld band metel trwm pan oedden nhw'n bedair ar ddeg oed. Yn anffodus iddyn nhw, roedd eu llun yn y *Western Mail* y diwrnod canlynol.

"*Still, wouldn't 'ave changed you for the world,*" dwedodd Gransha, a'i lygaid yn pefrio. Cymerodd mam Gethin lymaid arall o win, yn ceisio cuddio'r wên fach oedd wedi dechrau ymledu dros ei hwyneb. Roedd yn gwrido!

Cododd ei fam i nôl y pwdin. Roedd blas godidog ar hwnnw hefyd, a'r saws gwyn yn berffaith. Ond yn fwy trawiadol na'r saws oedd gwên lydan ei fam, yn goleuo ei hwyneb i gyd. Ac roedd y wên yn heintus. Roedd bochau Gethin yn brifo o'r herwydd. Ac roedd Gransha hefyd yn gwenu o glust i glust. Teimlodd Gethin ei hun yn llenwi gyda hapusrwydd. Roedd ei fam fel petai wedi'i thrawsnewid, roedd Gransha 'nôl adre o'r ysbyty, ac roedd Gethin yn barod am y ras.

Dyma'r Dolig gorau erioed, meddyliodd yn fodlon. A doedden nhw heb hyd yn oed agor yr anrhegion eto.

~

Ddeuddydd yn ddiweddarach roedd Gethin yn cicio ei hun am fod mor ddwl â meiddio credu y byddai pob dim yn iawn. Nid dyma'r Nadolig gorau erioed. O bell ffordd.

Aeth pethau o chwith mor sydyn. Roedd y tri ohonyn nhw yn y stafell fyw yn chwarae gêm fwrdd newydd roedd Gethin wedi'i chael yn anrheg. Oedd, roedd digon o dynnu coes, ac ambell floedd o siom pan nad oedd y dis o blaid rhywun, ond roedd pawb yn mwynhau ... tan i Gransha ollwng y gath o'r cwd pan enillodd Gethin.

"*Quite a champion we've got on our 'ands. You'll soon see now New Year's Eve.*"

Llamodd calon Gethin i'w wddf. Gransha a'i geg fawr. Y twmffat!

"Beth sy'n digwydd Nos Galan?" holodd Helen.

"Dim byd," dwedodd Gethin, gan edrych ar ei draed.

"Gethin?"

"*Tell her, mun. Nothin to be ashamed of.*"

Roedd yn amlwg fod Gransha wedi cael un neu ddau *sherry* yn ormod. Doedd dim dewis gan Gethin ond sôn am y ras, a sut roedd wedi bod yn ymarfer gyda Gransha. Gwrandawodd Helen heb ddweud gair. Gwelodd Gethin y pryder, y siom a'r dicter yn ei llygaid.

"Allet ti wedi mynd yn sâl eto ..." dwedodd o'r diwedd.

"Wnes i ddim, do fe?" protestiodd Gethin.

"... heb sôn am lusgo Gransha mas 'mhob tywydd."

"*Listen 'ere now. I'm old enough to look after myself, and so is the boy.*"

Anwybyddodd Helen Gransha.

"Sut allet ti fynd tu ol i 'nghefn i fel yna?"

"Beth am yr holl amser wnest ti fynd tu ôl cefn Gransha a Mam-gu pan o't ti'n ifanc?" gofynnodd Gethin, yn dechrau gwylltio ar ôl dechrau dod dros y sioc fod Gransha wedi datgelu'r gwir.

"Roedd hwnna'n wahanol," atebodd ei fam.

"Sut?"

"Achos mi o'dd e, dyna i gyd, ocê?"

"Felly mae un rheol i ti ac un arall i fi, ie?"

"Dwyt ti ddim yn rhedeg yn y ras, a dyna ddiwedd arni!" taranodd ei fam.

"That's your problem – always overreacting."

Doedd Gransha wir ddim yn helpu.

"You keep out of this," dwedodd Helen yn swta.

"If you don't let the boy 'ave a crack I'll come back and haunt you when I'm gone. And that's a promise."

"Don't be so stupid."

"Byddwch yn dawel!" gwaeddodd Gethin. "Wy wedi cael digon – ar y ddau ohonoch chi!"

Tawodd Gransha a Helen a syllu arno'n syn. Doedd Gethin erioed wedi codi ei lais arnyn nhw fel hyn o'r blaen.

"Sdim fath beth ag ysbrydion. Y gorffennol yw'r gorffennol," dwedodd Gethin wrth ei dad-cu, cyn troi at ei fam. "Wy'n casáu ti. Ti wastad yn sbwylo popeth!"

Gwyddai ei fod wedi mynd yn rhy bell y tro hwn, ond doedd dim ots ganddo. Roedd ei fam yn hollol welw, ac edrychai fel ei bod ar fin crio.

"Cer i dy stafell. Nawr!"

"Paid poeni. Wy'n mynd!"

Brasgamodd Gethin at y drws a'i gau'n glep ar ei ôl nes bod y tŷ i gyd yn ysgwyd.

29

Doedd dim dianc. Brwydrodd Gethin i fyny'r llethr trwy'r goedwig drwchus ond roedd yr anghenfil oedd am ei waed yn nesáu gyda phob cam. Ac yna llonyddwch. Yr un tawelwch annaturiol ag o'r blaen. A'r un düwch. Dim ond sŵn Gethin yn anadlu'n drwm. Cyn pen dim, fe fyddai'r anghenfil yn neidio arno. Byddai ei boer afiach, sur yn glafoerio drosto. Byddai crafangau'r bwystfil yn trywanu ei frest, yn darnio cawell ei asennau a'i rwygo ar agor.

Synhwyrodd Gethin fod rhywbeth y tu ôl iddo. Doedd hyn ddim yn deg. Roedd wedi ymdrechu mor galed. Ac wedi goresgyn sawl rhwystr. Ai dyma fyddai ei ffawd am byth? Cael ei ddarnio gan anghenfil aflan – creadur nad oedd hyd yn oed yn fodlon dangos ei hun cyn ymosod? Gwylltiodd, a throi i wynebu'r bwystfil.

Roedd hwnnw'n fwy erchyll nag yr oedd wedi'i ddychmygu hyd yn oed: cynffon hir, grachlyd, corff pwerus, blewog a phen anferth melyngoch, fel pwmpen wedi pydru. Wedi'i naddu ar ochr y bwmpen roedd wyneb cyfarwydd. Er mor wyrdd y llygaid ac mor felyn y dannedd miniog, doedd dim dwywaith wyneb pwy oedd ar y bwystfil. Wyneb Gethin ei hun.

Agorodd Gethin ei geg led y pen a gollyngodd sgrech fyddarol. Er mawr syndod iddo, diflannodd yr anghenfil mewn pwff o fwg.

~

Deffrôdd Gethin yn chwys diferu. Tywyllwch. Distawrwydd. Dim ond sŵn ysgyfaint Gethin yn gwichian. Ble roedd e? 'Nôl yng nghoedwig Craig-yr-hesg? Na. Yn ddiogel yn ei wely.

Ceisiodd reoli ei anadl. Cofiodd am y pwmp asthma glas. Daeth y rhyddhad yn syth. Un pwff ac roedd y boen wedi diflannu – fel yr anghenfil.

Aeth ias i lawr ei gefn wrth gofio'i olwg ffiaidd. A'r wyneb. Ei wyneb e! Aeth ias arall drwyddo, ond nid oherwydd y bwystfil. Roedd rhywbeth wedi'i daro. Rhywbeth tyngedfennol.

Roedd yn sylweddoli bellach nad Nathan yr oedd rhaid iddo'i drechu, na'i fam, na neb arall – yr unig berson oedd yn ei rwystro rhag gwneud yr hyn roedd e wir eisiau ei wneud oedd ef ei hun. Gyda hynny, daeth i benderfyniad.

Byddai'n rhedeg yn y ras, doed a ddelo.

30

Dim ond rhyw chwarter awr oedd y daith ar y trên o Bontypridd i Aberpennar, lleoliad y ras, ond i Gethin roedd yn teimlo fel oes.

Disgynnodd o'r trên. Teimlodd y gwynt oer yn brathu ei wyneb. Gafaelodd yn ei bwmp asthma glas yn dynn. Byddai rhaid iddo gymeryd hwn cyn y ras. Cerddodd at y man cyfarfod er mwyn casglu ei rif. Roedd y golau stryd yn gwneud i bob dim edrych yn afreal.

Roedd y sefyllfa ei hun ychydig yn afreal hefyd. Doedd

Gethin yn dal ddim yn medru credu ei fod wedi anwybyddu gorchymyn ei fam. Roedd Gransha wrth ei fodd, wrth gwrs, pan ddwedodd Gethin wrtho beth roedd wedi penderfynu. Gyda'i gilydd, dyma ddyfeisio cynllun i gael mam Gethin allan o'r tŷ. Byddai Gransha yn mynnu ei bod yn ei hebrwng i weld Billy Skips er mwyn dymuno pob hwyl i'r flwyddyn newydd. Erbyn iddyn nhw ddod 'nôl, byddai'n rhy hwyr iddi geisio atal Gethin rhag cymryd rhan.

Cyrhaeddodd y man cyfarfod. Dwedodd ei enw wrth y ddynes oedd yn dosbarthu'r rhifau, yn hanner disgwyl iddi ofyn ble roedd ei rieni. Ond dymuno'n dda iddo wnaeth hi, dyna i gyd. Ceisiodd Gethin wenu arni ond roedd yn rhy nerfus.

Aeth allan i'r stryd eto. Edrychodd ar ei oriawr. Chwarter wedi pump. Roedd bron hanner awr cyn ei ras – y drydedd o'r noson. Gyferbyn â'r man cychwyn roedd sgwâr. Ac yno roedd cerflun. Aeth Gethin draw i gael cip. Safodd yn stond o'i flaen. Roedd yn methu credu ei lygaid. Cerflun o Guto oedd e, neu o leiaf sut roedd yr artist wedi dychmygu y byddai Guto'n edrych yn ddyn ifanc. Doedd ei wyneb ddim yn hynod o debyg, ac roedd y wên ddireidus ar goll, ond roedd rhywbeth am y cerflun oedd yn adlewyrchu ei gyflymder a'i nerth yn wych, serch hynny. Roedd cerflun o filgi yn rhedeg yn wrth ei ochr. Gwenodd Gethin wrth gofio sut y byddai Guto yn rasio yn erbyn y cŵn defaid lleol.

"Barod?" gofynnodd rhywun.

Trodd Gethin. Nathan oedd yno. A Cai wrth ei ochr.

"Ydw," atebodd Gethin mor hyderus ag y gallai.

"Gewn ni weld, ife?" dwedodd Nathan a cherdded i

ffwrdd, gyda Cai wrth ei gwt, mor ufudd â Mabli, gafr Catws.

"Beth yn y byd ydw i wedi'i wneud, Guto?" gofynnodd Gethin i'r cerflun yn dawel.

Ond ddaeth dim ateb.

~

Roedd Gethin wedi ceisio sefyll mor agos i Nathan â phosib ar y llinell gychwyn. Doedd hyn ddim yn rhwydd am fod cymaint o redwyr eraill yn cymryd rhan – tua hanner cant, mae'n rhaid. Roedd golwg arbennig o broffesiynol ar sawl un yn eu crysau clybiau rhedeg. Gwelodd fest las Caerdydd ac un ddu Aberdâr. Roedd Nathan hefyd yn gwisgo fest redeg dros ei grys-T, un ddu a gwyn – lliwiau Pontypridd. Diolch i anrhegion Nadolig cyfrinachol Gransha doedd Gethin ddim yn teimlo'n chwithig, er bod pawb arall yno bron yn ben ac ysgwydd yn dalach nag e. O'r blaen, byddai hyn wedi'i boeni, ond ddim rhagor.

Roedd y cwrs llawer byrrach nag un yr oedolion – dim ond un cylch o gwmpas y strydoedd cyfagos – ond roedd Gethin wedi paratoi mor drylwyr roedd yn medru gweld pob troad yn ei ben. Edrychodd Gethin o'i gwmpas. Roedd Evan, Dawid a Jordan wedi dweud y bydden nhw'n dod ond doedd dim golwg ohonyn nhw'n unman. Teimlodd bwl o siom, ond nid dyma'r amser i hel meddyliau. Rhaid iddo ganolbwyntio.

Tri. Dau. Un. Bang! Hyrddiodd Gethin ei hun ymlaen. Roedd troad siarp i'r dde o fewn ychydig i'r llinell gychwyn ac roedd Gethin yn benderfynol o beidio cael ei ddal y tu ôl i rywun araf. Ar ôl un tro o gwmpas y gornel a Chlwb y Gweithwyr, daeth o hyd i'w rythm yn syth. Trawai ei draed y llawr yn ysgafn ac yn llyfn. Cafodd gip o Evan yn y dorf, a'r tu ôl iddo roedd Dawid a Jordan. Roedden nhw yma wedi'r cwbwl. Yn bwysicach, roedd Gethin yn dechrau dal i fyny â Nathan yn barod ... tan i rywun ei faglu.

Wrth iddo syrthio, gwelodd Cai'n gwenu arno'n gam, cyn rhedeg heibio. Trawodd y llawr yn galed. Saethodd poen trwy ei ben-glin.

"Coda! Alli di dal ennill!" gwaeddodd Dawid.

"C'mon Gethin!" gwaeddodd rhywun arall, yn uwch fyth. Caitlin.

Neidiodd Gethin ar ei draed a dechrau rhedeg, i gymeradwyaeth frwd y dorf. Ar ôl cam neu ddau, pallodd y boen yn ei ben-glin. *O leiaf byddai'n medru gorffen y ras, ond doedd dim gobaith curo Nathan bellach*, meddyliodd.

Yr eiliad nesaf, cydiodd chwa o wynt yn ei war a'i hwpio ymlaen. Cafodd Gethin y teimlad rhyfeddaf. Teimlai fod Guto yno wrth ei ymyl, yn rhedeg gydag e, gam wrth gam. Am eiliad, roedd 'nôl yn Llanwynno, yn rhedeg i lawr llethrau serth Cefn Gwyngul mor gyflym, roedd ei goesau fel pe baent yn fodau ar wahân i weddill ei gorff. Sylweddolodd fod ei goesau'n symud yr un mor gyflym nawr ar y cwrs gwastad. Pe na byddai wedi canolbwyntio byddai wedi hedfan heibio y troad nesa i'r dde ar y drofa.

Dyma ddarn olaf y ras. Roedd y llinell derfyn i'w gweld yn y pellter. Aeth murmur trwy'r dorf wrth iddyn nhw sylwi ar y ffigwr eiddil yr olwg yn gweu trwy'r rhedwyr eraill ac yn pasio pawb o'i flaen. Can metr i fynd. Hanner cant. Roedd Gethin bron â dal y grŵp o redwyr cyflymaf.

Nathan oedd ar y blaen a thair merch y tu ôl iddo.

Gwnaeth y merched y camgymeriad elfennol o arafu yn rhy gynnar. Gyda dim ond metr neu ddau i fynd, pasiodd Gethin nhw. Doedden nhw ddim wedi'i weld yn dod.

Aeth y dorf yn wyllt. Am ras! Ac am berfformiad anhygoel gan rywun a faglodd tua'r cychwyn! Cafodd Gethin drafferth i stopio o gwbwl a rhedodd yn syth mewn i rywun.

"Sorri," dwedodd, yn ceisio cael ei wynt ato. Cododd ei ben. Yn edrych lawr arno roedd ei fam.

Safodd y ddau'n stond heb ddweud gair. Roedd calon Gethin yn curo'n galed. Ac nid dim ond oherwydd y ras. Cymerodd ei fam gam eto.

"Do'dd Billy Skips ddim adre, a ges i'r gwir allan o Gransha yn y diwedd. Dylet ti ddim fod wedi mynd bant heb ddweud wrtha i," dwedodd, "ond wy'n falch iawn ohonot ti yr un fath."

Yr eiliad nesaf, rhoddodd gwtsh mawr iddo, o flaen pawb. Roedd Gethin mor falch ei bod wedi dod i'w gefnogi, doedd dim ots ganddo pwy oedd yn eu gweld.

~

Cododd bonllef o'r dorf wrth i Gethin sefyll ar y podiwm i dderbyn ei fedal am yr ail safle. Bonllef lawer uwch na chafodd Nathan wedyn, er mai e oedd wedi ennill. Roedd digon o chwarae teg yn perthyn i Nathan iddo estyn ei law at Gethin i'w longyfarch. Cododd bonllef arall. A doedd neb yn gweiddi'n yn uwch na'i fam. Roedd y Tri Trist yn curo eu dwylo ac yn chwibanu, yn llawn balchder o fod yn ffrindiau i Gethin. Doedd dim golwg o Cai yn unman.

Yn fuan wedi'r seremonïau gwobrwyo cyrhaeddodd y

person enwog a fyddai'n cynnau'r ffagl er cof am Guto.
Cyfrinach oedd hyn. Ond adnabyddodd Gethyn y dyn talsyth,
cryf yn syth – y chwaraewr rygbi rhyngwladol Alun Wyn
Jones. Wrth iddo gynnau'r ffagl ar bwys cerflun Gethin,
dawnsiai'r fflamau o gwmpas wyneb y cerflun a gallai Gethin
daeru i'r cerflun wenu arno.

Cytunodd ei fam i aros i weld y tân gwyllt. Ymunodd
Evan, Dawid a Jordan â nhw. Ffrwydrodd yr awyr yn goch,
gwyn a gwyrdd.

Cerddodd Nathan a Caitlin heibio, law yn llaw. Ar eu pwys
roedd dyn canol oed, a hwnnw yr un ffunud â Richard
Edwards. Gwelodd y dyn Gethin a cherdded tuag ato.

"Ardderchog! Da iawn wir," dwedodd y dyn. Roedd ei acen
ychydig yn herciog, fel petai wedi dysgu Cymraeg.

"Tad Nathan y'ch chi," dwedodd Gethin. Nid cwestiwn
oedd e. Gosodiad.

"Ha, ha! Ie," chwarddodd y dyn. "Sut oeddech chi'n
gwybod?"

"Chi'n debyg," dwedodd Gethin, er nad oedd llawer yn
gyffredin rhyngddyn nhw mewn gwirionedd. Fedrai Gethin
ddim yn hawdd iawn dweud am ei fod yr un sbit â rhywun
oedd yn byw dair canrif yn ôl.

"Bendigedig!" dwedodd tad Nathan. "*I love that word.*"

"Dad wedi dysgu Cymraeg," esboniodd Nathan.

"*I'm from Southampton* – yn wreiddiol. Ha, ha!" dwedodd
ei dad, gan chwerthin eto. Roedd yn chwerthin ar ôl pob
brawddeg, bron.

"Blwyddyn Nywedd Dda!"

"Newydd," cywirodd Nathan.

"*Of course.* Newydd. Ha ha ha!"

Aeth Nathan â Gethin i un ochr. Dilynodd Gethin e yn ffyddlon. Wedi'r cwbwl, fe oedd gwas bach newydd Nathan bellach, am iddo golli.

"Gwranda," dwedodd Nathan, "os bydde Cai heb dy faglu di byddet ti wedi ennill, wedyn so'r bet yn cyfri. Ond wy'n mynd i adael llonydd i ti, ta beth. Alli di handlo Cai dy hunan, o be wy 'di gweld."

"Diolch," dwedodd Gethin, oedd yn methu meddwl beth arall i'w ddweud.

"Paid diolch i fi. Diolch i Caitlin. Syniad hi oedd e."

Wrth i Nathan a'i dad droi i fynd, daeth Caitlin ato.

"Licen i bod ni'n ffrindie," dwedodd, yn syllu ar y llawr. Yn swil, yn union fel Catws.

"Os ti ddim yn trin fi jest fel masgot bach ciwt – iawn?"

"Wna i ddim, addo. Ffrindie?" gofynnodd, gan estyn ei llaw.

"Ffrindie," ategodd Gethin, ac ysgwyd dwylo.

Trodd a brysio i fynd at Nathan a'i dad, oedd yn dal i chwerthin am rywbeth. Gwelodd Gethin y wên gafodd Nathan ganddi, ei hwyneb yn amryliw yng ngolau'r tân gwyllt, a gwelodd y wên a roddodd iddi hi. Roedd Nathan yn edrych fel rhywun hollol wahanol. Rhywun llai dig gyda'r byd.

Doedd dim ots gan Gethin fod Caitlin a Nathan yn hapus gyda'i gilydd. Roedd Caitlin ag yntau'n ffrindiau – efallai'n ffrindiau go iawn am y tro cyntaf. Ac roedd hynny yn fwy na digon.

31

"Iechyd da!"

Cododd Gransha ei wydr peint. Cododd Gethin ei wydryn o lemonêd. A'i fam ei gwydryn hithau.

Roedd hi'n glyd iawn yn y dafarn gyferbyn ag eglwys Llanwynno. Ar ôl y ras, roedd mam Gethin wedi dweud y byddai'n rhaid iddo aros adre am rai diwrnodau fel cosb am iddo fynd y tu ôl i'w chefn. Yna holodd ei fam lle hoffai fynd fel trêt, gan ddychmygu y byddai'n dweud Caerdydd neu rywle tebyg. Cafodd dipyn o syndod pan awgrymodd y dafarn hon yng nghanol nunlle, ond yn fwy na bodlon pan esboniodd Gethin ei fod am ymweld â chynefin ei 'arwr' mawr, Guto Nyth Brân. Roedd Billy Skips wedi'u gyrru yno.

Yn y dafarn, dechreuodd Gransha adrodd un o'i hen hanesion. Er eu bod wedi'i glywed droeon, chwarddodd Gethin – a'i fam – yn y mannau iawn. Aeth y pnawn heibio'n gyflym iawn yn siarad, yn chwerthin – jest yn mwynhau cwmni ei gilydd. *Fel hyn y dylai fod*, meddyliodd Gethin. Roedd rhywbeth yn dweud wrtho mai dyma gychwyn ar sawl prynhawn tebyg, dedwydd, i'r tri ohonyn nhw.

Wrth i'w fam dalu am y bwyd, sleifiodd Gethin allan o'r dafarn. Roedd un peth arall roedd eisiau ei wneud, ar ei ben ei hun. Croesodd y ffordd. Gwthiodd y gât haearn a chamodd ar dir yr eglwys. Roedd yr adeilad carreg cywrain yn edrych yn wahanol iawn i'r addoldy syml y bu Gethin yn ymweld ag e'n gyson dair canrif yn ôl, ond yr un oedd y bryniau. Roedd Guto wedi dweud eu henwau i gyd wrth Gethin – Twyn Mawr yn codi o gwm Cynon, a thu hwnt i'r afon Taf, Cefn Gelligaer a Chefn Eglwysilan. I'r cyfeiriad arall, Cefn Gwyngul, sef hoff le chwarae Guto a'r criw.

Daeth Gethin o hyd i'r garreg fedd heb drafferth. Darllenodd y geiriau'n uchel, yn union fel yr oedden nhw wedi'u cerfio ar y garreg: "Er Cof am Griffith Morgan o Nyth Brân yn y plwyf hwn bu farw yn y flwyddyn 1737 yn 37 mlwydd oed. Yr oedd yn rhedegwr hyf. Trechodd un o'r enw Prince o Plwyf Bedwas mewn rhedfa 12 milltir, yr hyn a gyflawnodd saith munud dan yr awr."

Gwnaeth Gethin y symiau yn ei ben yn gyflym. O'i gymharu, roedd yr amser hyn fwy neu lai'n cyfateb â chyflymder record y byd am hanner marathon. Anhygoel. Petai Guto'n fyw heddiw, mi fyddai'n fyd-enwog.

Cydiodd chwa o wynt yn ei war, yr un fath ag yn ystod y ras.

"Wyt ti yno?" sibrydodd Gethin.

Clywodd sŵn crawcian. Ar un o'r coed yn y fynwent roedd brân yn syllu yn syth i lawr ato. Ond nid brân gyffredin. Brân wen.

Os byth weli frân wen, rhed am dy fywyd! Fferrodd Gethin am eiliad wrth gofio geiriau mam Guto. Ond dewis aros yn ei unfan wnaeth Gethin. O edrych eto, roedd rhywbeth annwyl am yr aderyn. Rhywbeth na allai Gethin esbonio.

Daliodd Gethin ei wynt wrth i'r frân hedfan tuag ato a glanio ar fedd gyfagos. Crawciodd y frân yn gyfeillgar, gan droi ei phen i'r ochr yn chwareus. Curodd ei hadenydd. Mewn chwinciad roedd yn clwydo ar ysgwydd Gethin ac yn crawcian eto'n ddi-baid – y peth tebycaf i sŵn chwerthin a glywodd Gethin aderyn yn ei wneud erioed. Pe bai'r peth yn bosib, byddai Gethin wedi taeru fod y frân yn gwenu arno. Gwên ryfedd o gyfarwydd.

"Guto?" gofynnodd Gethin yn isel, rhag codi ofn ar yr aderyn.

"Ge-thin! Ble w-yt ti?"

Ei fam oedd yn galw, ond heb ronyn o'r tinc diamynedd arferol.

"Do-od!" galwodd Gethin yn ôl.

Gydag un grawc olaf, curodd yr aderyn ei adenydd eto a chodi i'r awyr. Hedfanodd yn uwch ac yn uwch ac yn uwch, yn smotyn bach gwyn yn mynd yn llai ac yn llai. Ac yna diflannodd yn gyfan gwbwl.

Doedd dim syniad gan Gethin a welai'r frân wen byth eto, ond roedd yn sicr o un peth; roedd mentro trwy ddrws amser wedi newid ei fywyd yn llwyr. Gwenodd wrth daflu cip olaf ar y garreg fedd, cyn brysio allan o'r fynwent at ei fam a Gransha, i fyd oedd bellach yn llawn posibiliadau.

Efallai ei fod yn unig blentyn, ond, fyddai byth eto yn blentyn unig.

Nodyn ar yr hanes

"Ysgafndroed fel 'sgyfarnog
A chwim oedd Guto enwog –
Yn wir, dywedent fod ei hynt
Yn gynt na'r gwynt na'r hebog."

I.D. Hooson

Ychydig iawn ry'n i'n gwybod am fywyd Gruffudd Morgan, neu Guto Nyth Brân, a daw'r rhan fwyaf o'r ychydig hyn o lyfr gan Glanffrwd (William Thomas) am hanes plwyf Llanwynno a gyhoeddwyd gyntaf yn 1888. Dyma'r llyfr, yn y nofel, mae Billy Skips yn rhoi i Gethin adeg y Nadolig. Dysgwn mai blwyddyn geni Guto oedd 1700. Ar y pryd roedd ei rieni yn byw ar ffarm fechan o'r enw Llwyncelyn, uwchben Afon Rhondda, cyn symud i gartref y teulu dafliad carreg i'r dwyrain, Nyth Brân. Daeth yn athletwr ('rhedegwr' oedd y gair bryd hynny) enwog ac ennill sawl ras, cyn marw yn ddyn ifanc 37 mlwydd oed, o flaen ei gariad Siân, wedi ras galed deuddeg milltir yn erbyn gwrthwynebydd o'r enw Prins.

Dyma'r ffeithiau moel. Ond tyfodd llawer o hanesion amdano, fel yr awgryma'r bennill o faled I.D. Hooson ar dop y dudalen. Roedd sôn ei fod yn ddigon cyflym i ddal sgwarnog neu aderyn, neu hyd yn oed gyrraedd y gwely cyn i'r stafell dywyllu ar ôl iddo ddiffodd ei gannwyll. Mae sôn hefyd bod ei fam unwaith, wrth baratoi te, wedi gofyn iddo nôl siwgr o'r siop yn Aberdâr a'i fod wedi dychwelyd cyn i'r dŵr ferwi ar y tân!

Fe ddarllenais lyfr Glanffrwd yn fanwl fel rhan o'r gwaith paratoi ar gyfer ysgrifennu'r nofel, ac mae'n llyfr diddorol am sawl rheswm. O ran hanes Guto, mae'n drawiadol fod yr athletwr yn fyw ar gof o hyd ar ddiwedd y ddeunawfed ganrif, h.y. mae'r awdur yn cofio clywed sôn amdano pan yn blentyn gan bobl a glywodd yr hanes gan rai oedd yn ddigon hen i adnabod Guto ei hun. Yn yr un modd, roedd llawer iawn o'r hen arferion a'r hen ffyrdd o wneud pethau – sef y byd fel y byddai Guto wedi'i adnabod, yn bresennol nid yn unig yn y cof ond hefyd yn y modd roedd y trigolion yn byw. Er bod y byd yn newid o'u cwmpas – pan ysgrifennodd Glanffrwd y llyfr roedd cymoedd y Rhondda bellach yn ferw o ddiwydiant – roedd y gorffennol dal yn 'fyw', felly. Erbyn heddiw, ar y llaw arall, mae'r rhan fwyaf o nodweddion cyfnod Guto wedi diflannu.

Dyma rywbeth sy'n werth ei gofio: mae pethau yn newid, ydyn, ond dyw popeth ddim yn newid yr un pryd, na chwaith ar yr un cyflymder. Mae rhai agweddau ar fywyd yn medru aros yn debyg am flynyddoedd lawer, os nad canrifoedd. Eraill yn newid o fewn cenhedlaeth, neu hyd yn oed yn gynt. Os feddyliwch am dechnoleg neu'r cyfryngau cymdeithasol, er enghraifft, yna mae bron yn amhosib dal i fyny gyda'r holl newidiadau! Amhosib hefyd dychmygu bywyd heb Facebook neu Snapchat heddiw, ond bydd rhyw ddatblygiadau eraill yn siŵr o gymryd eu lle cyn hir.

Rwy'n cofio, pan oeddwn i'n blentyn, rhyfeddu at y ffaith bod fy nhad yn cofio adeg pan nad oedd trydan yn ei gartref, na thŷ bach, na chyflenwad dŵr chwaith, rhaid oedd cludo dŵr bob dydd o bistyll cyfagos. Canhwyllau a lampau paraffîn oedd yn goleuo'r tŷ, a thân agored yn ei gynhesu. Tyddyn oedd cartref fy nhad, sef tŷ gydag ychydig o dir ynghlwm wrtho. Roedd ei rieni yn cadw buwch, mochyn a llond llaw o ieir, ac yn tyfu llysiau yn yr ardd. Byddai'r fuwch yn rhoi llaeth, a fy mam-gu yn gwneud menyn ohono, y mochyn yn cael ei aberthu bob blwyddyn a'r cig yn cael ei halltu er mwyn iddo gadw, a'r ieir yn rhoi wyau. Yn ogystal a thrin ei dir, roedd fy nhad-cu yn gweithio i ffermwyr yr ardal pan byddai'r galw. Ac yn ystod y cyfnodau tymhorol pwysig, byddai pawb yn dod at ei gilydd i wneud y gwaith ar y cyd, yn rhannu adnoddau.

Doedd hyn, yn y bôn, fawr wahanol i sut byddai Guto wedi byw dros ddau gan mlynedd ynghynt – ac, yn wir, cenedlaethau cyn hynny hefyd. Pe byddai fy nhad, tra'n blentyn, wedi glanio yn Llanwynno yn 1713 a threulio blwyddyn gyda Guto, byddai wedi ymdopi yn llawer gwell na fyddwn i! A phe byddai Guto wedi glanio yng Ngogledd Ceredigion, neu unrhyw ardal amaethyddol arall Gymraeg ei hiaith, cyn yr Ail Ryfel Byd, byddai wedi bod yn llawer iawn llai o sioc iddo na glanio yn y Gymru gyfoes.

Eto, dim ond hanner y stori yw hon. Byddai Guto, serch hynny, wedi rhyfeddu at sawl agwedd o fywyd bryd hynny. Er mai nerth ceffyl fyddai'n trin y tir, nid ceffyl oedd yn cludo fy nhad-cu o le i le, ond beic modur. Os am gyrraedd rhywle pell, fel Llundain, er enghraifft, doedd dim rhaid dilyn hen lwybr y porthmyn a cherdded am ddyddiau lawer ond yn hytrach cymryd trên o'r orsaf leol a chyrraedd ymhen ychydig oriau. Yn wahanol i genedlaethau cynt y teulu, a phawb yn hanu o Geredigion ac ond yn symud ychydig o filltiroedd ar ôl priodi neu i weithio, roedd dau o frodyr fy nhad-cu yn gweithio ym mhyllau glo'r De. Ac yng nghymoedd y De fyddent yn byw gydol eu hoes. Roedd fy mam-gu hithau wedi ei geni ym Mhont-y-pridd cyn dychwelyd i ardal enedigol ei rhieni yn ferch ifanc i fyw gyda'i modryb a'i hewyrth.

Er bod ei bywyd yn ei chartref newydd yn gwbwl Gymraeg, Saesneg roedd hi'n siarad gyda'i brodyr a chwiorydd oedd dal yn byw yn y De. Cymru, ac nid Ceredigion, oedd eu milltir sgwâr bellach. Roedd eu byd wedi ehangu, ac roedd y radio yn y tŷ yn dod â'r byd benbaladr i'r aelwyd.

Yr injan fu'n gyrru'r newid hwn oedd y chwyldro diwydiannol a gychwynnodd ganrif a hanner ynghynt – chwyldro a drawsnewidiodd yn llwyr ardaloedd fel Llanwynno a'r Rhondda. Yn cyd redeg â hyn, bu chwyldro arall ym myd crefydd, sef sefydlu'r gwahanol gapeli a thrwch y boblogaeth yn gadael yr eglwys i addoli o dan y drefn newydd. Dyma'r ddau chwyldro a ffurfiodd y Gymru fodern ac, yr un mor bwysig efallai, y modd roedd y Cymry yn gweld eu hunain. Er fod pethau wedi newid llawer iawn yng Nghymru o ail hanner y ganrif ddiwethaf ymlaen, does dim posib deall Cymru heddiw heb ystyried hyn.

Felly roedd dwy brif her wrth ysgrifennu'r rhan hanesyddol o'r nofel hon. Y gyntaf oedd nad oedd gen i – yn wahanol i Glanffrwd yn 1888 – gyswllt uniongyrchol â dechrau'r 1700au. Byddai rhaid darllen yn eang – llyfrau o bob math a thwrio mewn llyfrgelloedd, archifdai ac ar-lein am adnoddau eraill e.e. gwahanol gofnodion a mapiau o'r cyfnod i geisio creu darlun mor fyw â phosib. Mae Sain Ffagan hefyd yn le gwych i fyw'r gorffennol, gyda llaw. Yr ail her oedd y cyfnod ei hun, sef y cyfnod ar drothwy'r chwyldro diwydiannol, h.y. cyn yr holl newidiadau a ffurfiodd y Gymru ry'n ni'n ei hadnabod. Oherwydd nid rhyw fersiwn hen ffasiwn o Gymru heddiw oedd Cymru Guto, ond, mewn ffyrdd eithaf sylfaenol, Cymru *wahanol*.

Cymru ble roedd bron pawb yn siarad Cymraeg, a Chymraeg yn unig. Cymru llawer llai o ran poblogaeth – i bob deg person heddiw dim ond un fyddai bryd hynny – a'r mwyafrif helaeth o'r tri chan mil rheiny yn ddibynnol, mewn un ffordd neu gilydd, ar y tir. Y tymhorau, a'r tywydd, fyddai'n rheoli pob dim. Pe byddai'r tywydd yn wael, fel yn ystod 1700-1710, yna byddai prinder bwyd a doedd dim fath beth ag archfarchnadoedd na hyd yn oed siopau fel sydd heddiw, felly byddai pobl yn llwgu ac weithiau yn marw o newyn.

Cymru oedd hon heb brif ddinas, a Chaerdydd – Caerdyf yn y dafodiaith leol – yn dref fechan, digon di-nod. (Y dref fwyaf? Dyfalwch! Mae'r ateb ar ddiwedd y darn). Cymru ble roedd y ffyrdd mor ofnadwy o wael roedd yn haws symud nwyddau o gwmpas ar hyd yr arfordir ar longau. Cymru ble roedd y rhan fwyaf o bobl, ar y cyfan, yn aros yn eu milltir sgwâr. A'r bobl hynny, er mwyn ceisio gwneud synnwyr o'r byd o'u cwmpas, yn credu nid yn unig yn yr hen seintiau a phŵer lleoedd sanctaidd, fel Ffynnon Fair Pen-rhys, ond hefyd mewn hud a lledrith, a'r tylwyth teg ...

Pe byddwn yn parhau gydag enghreifftiau beryg y byddai'r darn hwn yn hirach na'r nofel! Gwell felly gael cip sydyn ar sut le yn union oedd Llanwynno, cartref Guto, ar ddechrau'r 1700au. Fel sydd wedi ei grybwyll yn y nofel, roedd Llanwynno ym Morgannwg, a Morgannwg wedi ei rannu – o ran tirwedd a diwylliant – i ddwy brif ran, sef y Blaenau yn y gogledd a'r Fro yn y de. Yn fras iawn, roedd y Fro yn fwy ffrwythlon ac yn fwy cyfoethog, a'r Blaenau yn fwy garw ac yn dlotach. Oherwydd ansawdd cymharol wael y tir, roedd cadw anifeiliaid yn bwysicach na thyfu cnydau. Yn ôl cofnodion, roedd gan bob fferm tua 20-30 buwch, 50 dafad, 6 gafr, ac hefyd ychydig o foch a ieir. Roedd ffermydd llai, a thyddynnod, yn cadw ceffyl, rhyw 30 dafad, rhyw bedair buwch a'u lloi, dau neu dri mochyn, ac ychydig o eifr a ieir.

Roedd yr offerynnau a theclynnau fferm yn syml ac wedi eu gwneud o bren, a byddai pobl yn eu rhannu. Byddai pobl hefyd yn dod at ei gilydd i gyflawni'r tasgau pwysig, fel cneifio a lladd gwair. Yn wahanol i'r Fro, nid gwenith oedd y prif gnwd ond haidd a cheirch, a fyddai'n rhoi bara ac uwd mwy cras a thywyll. Ac heblaw am ddyddiau gŵyl, dyma beth fyddai ar y fwydlen – bara haidd a bara ceirch, llymru (rhyw fath o uwd), a chawl tenau gydag ychydig o gig moch nawr ac yn y man. Serch hynny, roedd y menyn a'r caws o ansawdd uchel, ac mae caws Caerffili yn enwog hyd heddiw.

Efallai mai un o'r pethau a berodd fwyaf o syndod i chi wrth ddarllen y nofel oedd bod trigolion Llanwynno i gyd yn siarad Cymraeg – nid yn unig hynny, ond ddim yn medru'r Saesneg chwaith. Fel y soniais eisoes, doedd hyn ddim yn eithriad. I'r gwrthwyneb. Roedd Blaenau Morgannwg gyfan, fel 90% o Gymru bryd hynny yn uniaith Gymraeg. Roedd y sefyllfa yn fwy cymhleth yn y Fro, oherwydd mai'r Saesneg oedd prif iaith rhannau ohoni. Roedd hyn oherwydd bod rhan o'r Fro, ynghyd â Gŵyr a De Penfro, bryd hynny yn un o 'Saesonaethau' Cymru. Ardaloedd oedd rhain a setlwyd gan Normaniaid, Saeson a phobl o Fflandrys yn yr Oesoedd Canol. Roedd rhannau eraill y Fro, fel tref Caerdydd, yn ddwyieithog. Ond Cymraeg oedd prif iaith y pentrefi o'i chwmpas a thu hwnt, fel Radyr, Llysfaen a'r Eglwys Newydd – pentrefi sydd bellach yn rhan o Ddinas Caerdydd.

Fe sylwoch hefyd, mae'n siŵr, fod y math o Gymraeg roedd Guto yn ei siarad yn wahanol iawn i Gymraeg 'safonol' heddiw. Tafodiaith Morgannwg (a Gwent) oedd y Wenhwyseg, a dyma'r Gymraeg oedd ar lafar. Mae gan Iolo Morgannwg, ychydig yn fwy diweddar na chyfnod y nofel, ddisgrifiad ohoni ac roedd hyn yn help wrth geisio ail-greu'r modd o siarad bryd hynny. Help mawr arall oedd disgrifiad manwl iawn o dafodiaith Nant Garw, Cwm Taf, gan Ceinwen Thomas. Yn ogystal, mae llwyth o ganeuon gwerin, ac erthyglau papur newydd o'r ddeunawfed ganrif. Mae ambell enghraifft gair am air o gyfnod y nofel, fel hwn o'r flwyddyn 1714, oedd yn rhan o dystiolaeth rhywun mewn llys barn: 'tydi a ddygws fy ieir i!'. Gan gofio sut roedd Guto yn siarad, tybed os fedrwch ddyfalu beth yn union oedd natur y cyhuddiad?!

Yn ogystal â dogfennau fel cofnodion llysoedd barn, roedd gwahanol fapiau yn ddefnyddiol iawn hefyd, gan gynnwys map degwm o'r ardal sy'n cael ei gadw yn Archifdy Morgannwg oedd mor fanwl roedd yn rhestru enwau caeau Nyth Brân ynghyd â'u defnydd – rhyw fath o 'Google Maps' o'r ddeunawfed ganrif! Roedd gen i hyd yn oed ddau fap o'r cyfnod ar y wal wrth fy nghyfrifiadur tra'n ysgrifennu'r nofel. Un o blwyf Llanwynno. A'r llall o ddwyrain Morgannwg. O'r herwydd, roedd enwau'r ffermydd, yr afonydd a'r bryniau ar flaenau fy mysedd, a phe byddai'r gwynt yn rhuo y tu allan ac yn boddi sŵn y ddinas, gallwn daeru weithiau fy mod i ar lethrau Cefn Gwyngul neu yn swatio ger Craig yr Hesg, ac nid yn glud wrth fy nghyfrifiadur ...

O, ie. Cyn imi anghofio, yr ateb i'r pos. Tref fwyaf Cymru yn 1713? Caerfyrddin!

Am yr awdur

Daw Gareth Evans o Benparcau, Aberystwyth ond mae wedi ymsefydlu yng Nghaerdydd ers blynyddoedd lawer wedi degawd ar y cyfandir, yn Sbaen a'r Almaen. Cychwynnodd ei yrfa gyda Radio Cymru, cyn troi at ysgrifennu ar gyfer y teledu. Mae ganddo brofiad helaeth fel storïwr a sgriptiwr – yn bennaf ar gyfer 'Pobol y Cwm' – ond dyma'r tro cyntaf iddo fentro i fyd rhyddiaith. (Cyn iddo orfod roi'r gorau iddi, roedd yn hoff iawn o redeg a hynny er ei fod, fel prif gymeriad y nofel, yn dioddef o asthma ...)

Diolchiadau

Diolch i Richard ac Iwan am fy nghyflwyno i iaith Morgannwg y ddeunawfed ganrif, i Rhian am ateb fy nghwestiynau am ardal y Rhondda heddiw, i Gordon am ei gyngor doeth, i Anwen am ei gofal, i Anne am y clawr, i Myrddin am ei amynedd, ac i Anna am ei hawgrymiadau gwerthfawr a'r cydweithio hwylus.

Nofelau â blas hanes arnyn nhw

Straeon cyffrous a theimladwy wedi'u seilio ar ddigwyddiadau allweddol

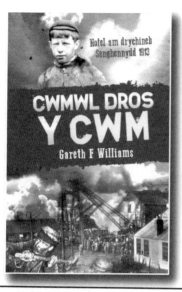

Enillydd Gwobr Tir na-nOg 2014

CWMWL DROS Y CWM
Gareth F. Williams

Nofel am drychineb Senghennydd 1913

Gwasg Carreg Gwalch
£5.99

Y GÊM
Gareth F. Williams

Nofel am heddwch Nadolig 1914 yn ystod y Rhyfel Mawr

Gwasg Carreg Gwalch
£5.99

Enillydd Gwobr Tir na-nOg 2015

DARN BACH O BAPUR
Angharad Tomos

Nofel am frwydr teulu'r Beasleys dros y Gymraeg 1952-1960

£5.99

Rhestr fer Gwobr Tir na-nOg 2014

PAENT!
Angharad Tomos

Nofel am Gymru 1969 – Cymraeg ar arwyddion ffyrdd a'r Arwisgo yng Nghaernarfon

Gwasg Carreg Gwalch
£5.99

Rhestr fer Gwobr Tir na-nOg 2016

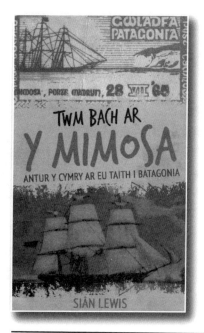

Twm Bach ar y Mimosa
Siân Lewis

Nofel am antur y Cymry ar eu taith i Batagonia yn 1865

Gwasg Carreg Gwalch
£5.99

YR ARGAE HAEARN
Myrddin ap Dafydd

Dewrder teulu yng Nghwm Gwendraeth Fach wrth frwydro i achub y cwm rhag cael ei foddi

£5.99

Rhestr fer Gwobr Tir na-nOg 2017

MAE'R LLEUAD YN GOCH
Myrddin ap Dafydd

Mae tân yn y cartref henoed yn gorfodi Megan i ddewis un peth o'i llofft... Pam ei bod wedi dewis hen faner denau goch, gwyrdd a gwyn?
Mae'n adrodd y stori wrth Beca, ei wyres: Ysgol Fomio yn Llŷn... bomiau'n disgyn ar ddinas Gernika yng Ngwlad y Basg... ffoaduriaid y lladd a'r dinistr yn dod i Gymru...
Mae un teulu yng nghanol hyn i gyd.

£5.99